Une vie pornographique

DU MÊME AUTEUR

chez le même éditeur

LE LIVRE DE JIM-COURAGE, 1986
PRINCE ET LÉONARDOURS, 1987
L'HOMME QUI VOMIT, 1988
LE CŒUR DE TO, 1994
CHAMPION DU MONDE, 1994
MERCI, 1996
LES APEURÉS, 1998
LE PROCÈS DE JEAN-MARIE LE PEN, 1998
CHEZ QUI HABITONS-NOUS ?, 2000
LA LITTÉRATURE, 2001
LÂCHETÉ D'AIR FRANCE, 2002
JE VOUS ÉCRIS, *récits critiques*, 2004
MA CATASTROPHE ADORÉE, 2004
CEUX QUI TIENNENT DEBOUT, 2006
MON CŒUR TOUT SEUL NE SUFFIT PAS, 2008
EN ENFANCE, 2009
CE QU'AIMER VEUT DIRE, Prix Médicis, 2011

aux éditions de Minuit

NOS PLAISIRS, PIERRE-SÉBASTIEN HEUDAUX, 1983
JE T'AIME, *récits critiques*, 1993

Mathieu Lindon

Une vie pornographique

roman

P.O.L
33, rue Saint-André-des-Arts, Paris 6e

ISBN : 978-2-8180-1951-1
www.pol-editeur.com

DEDANS

L'héroïne met un nom sur les choses de sa vie : intoxication, trafic, compulsion. Dépendance et indépendance. Elle n'apporte rien à Perrin de ce qu'il en espère que d'éphémère, et durablement ça qu'il n'attendait pas.

Il obtient le numéro de portable de Manuel et le code qui va avec la commande – la discrétion est indispensable, en cas d'écoute.

Ça fait des années qu'il prend de l'héroïne, qu'il y est accroché même s'il n'emploierait jamais ce terme, et il est toujours à l'affût d'un nouveau dealer quand les circonstances, à savoir la police, ont la peau du précédent. Les dealers sont comme les animateurs télé et les amants sans préservatif, ils ne se retirent jamais à temps. Et quand l'un tombe, la clientèle a besoin d'un autre.

Perrin appelle.

– Je voudrais un demi-DVD, dit-il, soumis au ridicule du camouflage.

Et le rituel abandonné avec Youssef pour cause de disparition subite reprend pour des mois avec Manuel, jusqu'à disparition subite. Toujours la même cérémonie. Le boucher offre-t-il un verre accompagné d'une conversation amicale avant de servir sa viande, ou la boulangère avec chaque baguette ? Son DVD ou demi-DVD, Perrin ne l'a jamais sans payer non seulement de son argent mais de sa personne. Il doit parler comme si l'héroïne n'était pas la cause unique de sa venue. On dirait que le dealer (Manuel, Youssef, les précédents) aurait une mauvaise image de soi s'il ne procédait qu'à un échange drogue-espèces. Ou la conversation est un petit geste commercial malvenu, sous-entendant que le drogué n'est pas juste un client, une épave, ça ne mange pas de pain de lui rappeler qu'il est aussi un être humain. Compassion imbécile, indiscrète.

Pourtant, cela a plus de sens avec Manuel. Il possède une douceur inaccoutumée dans la profession. Et le boulot de Perrin, déjà maître assistant à l'université de Tours où il n'a que deux jours consécutifs hebdomadaires de présence requise, semble lui donner une plus haute idée de sa propre valeur sociale. Ils partagent comme s'ils étaient les seuls les idées que la terre entière partage, en résumé qu'un monde meilleur est souhaitable. Souvent, Céline est là, la copine de Manuel, et Sandra, leur gamine de deux trois ans. En fait, c'est par rapport à Céline que Manuel est soucieux de sa position, pour qu'elle ne puisse pas prétendre que Sandra souffre de la situation. Il y a toute une fausse amitié dans la conversation, une connivence sans objet, bien sûr, mais cette fiction crée une réalité, un lien particulier se noue, ne serait-ce que par la durée plus importante des visites. De fait, Perrin est enclin à prendre le parti de Manuel contre Céline, les quelques fois où ça se pose, car, après tout, l'enfant semble élevée correctement.

Manuel tire gloire de cette vie familiale. C'est touchant comme il est fier de subvenir aux besoins de tous, permettant à Céline de reprendre de difficultueuses études de psychologie. Il a un job peu bureaucratique mais qui nourrit copine et enfant. À l'égal de tous ses collègues, il prétend ne pas consommer lui-même d'héroïne (ou peu), gage d'honnêteté, et pourtant il en a drôlement l'air, perpétuellement défoncé. La pesée du gramme ou demi-gramme est une épreuve, plus pour Perrin que pour lui. Ça nécessite mille précautions qui, vu l'état de Manuel, prennent un temps fou. Il s'y soumet prétendument pour éviter toute fraude mais le gramme est une unité abstraite dont Perrin ne peut pas déterminer à l'avance à quel point elle est coupée, de sorte qu'un gramme ressemble rarement à un autre, fussent-ils chacun rigoureusement pesés. « Tu trouveras peut-être qu'il y en a moins, là, mais c'est de la bonne. » Somme toute, Perrin préfère qu'on lui remette le petit paquet déjà préparé qu'il peut entamer immédiatement.

Depuis qu'il prend de l'héroïne, il a toujours l'idée d'arrêter dans un coin de sa tête, coin apparemment peu fréquenté. Si c'est facile, il sera toujours temps de le faire ; si c'est difficile, autant attendre le bon moment. Même la chute d'un dealer et le manque qu'elle provoque ne sont pas une occasion. Il faut choisir soi-même, ce serait une atteinte à sa liberté que de se voir imposer la date de sa libération.

Le temps passé chez Manuel est aussi une façon pour celui-ci d'accréditer aux yeux et oreilles de ses voisins l'idée qu'on vient juste lui rendre une visite, que l'amitié seule suscite une telle animation dans son appartement. Manuel habite au troisième, alors que les dealers choisissent souvent le rez-de-chaussée où les allées et venues sont moins remarquées, mais il a copine et enfant, ça inspire confiance. Perrin aussi présente bien, par rapport à une certaine clientèle, il est un acheteur apprécié des vendeurs. Un matin (il ne pouvait plus attendre), il se rend chez Manuel après une nuit agitée dans l'immeuble. Il y a du sang sur le mur entre le deuxième et le troisième, des clients se sont disputés, l'un s'est piqué dans la cage d'escalier puis a abandonné sa seringue sur le palier. Manuel lui dit qu'ils exagèrent, que les drogués ne se rendent pas compte des risques qu'il prend pour eux, que ce n'est l'intérêt de personne de mettre sa couverture en danger. Manuel et Perrin sont pareils, croyant au secret, par commodité et contre toute vraisemblance. Évidemment que tout leur entourage doit savoir à quoi s'en tenir. Ça change la vie, l'héroïne, c'est bien pour ça qu'ils en prennent.

Rien ne plaît autant à Manuel que l'intérêt factice de Perrin pour les études de Cécile : c'est comme si, pour un instant, il amenait un professeur à sa copine, qu'elle bénéficiait intellectuellement de son commerce dont lui ne tire qu'un modeste profit pécuniaire. En revanche, de plus en plus souvent, Cécile s'en prend à tout ce que fait Manuel, où il cache la poudre, où il fait la transaction, comment la marchandise et n'importe quel client se retrouvent parfois exhibés aux yeux de Sandra – elle a une idée tout à fait différente de l'éducation. Et puis, elle-même, ça la dérange pour étudier. Perrin gère adroitement.

Tant que Manuel est en liberté, il n'est pas question d'imaginer qu'un jour il ne le sera plus. Normalement, aucune émotion particulière n'accompagne la chute d'un dealer, à part celle, égoïste, concernant l'éventuel manque à venir provoqué par cette interruption, si aucun dealer de substitution n'est accessible dans un bref délai. Juste, un jour, tout à coup, la ligne de téléphone n'est plus attribuée. Si le commerce était vraiment libre, il n'y aurait aucun inconvénient à être accroché. En une occasion où Perrin défend avec une volonté d'originalité cette position devant une amie, se demandant pourquoi il ne devrait plus prendre d'héroïne si c'est son bon plaisir, celle-ci lui répond de façon inattendue : « Parce que ça rend ta compagnie moins agréable. » Il n'y avait jamais pensé. Mais ce n'est qu'un argument alors que la drogue, c'est du concret. En plus, l'héroïne apporte sa dose de lucidité : il voit maintenant sans problème l'addiction dans les vies qui l'environnent, à l'amour, au sexe, à la famille, au boulot, aux conventions, et, fort de cette découverte, en arrive à compter pour rien sa dépendance à un réel stupéfiant, de même qu'un alcoolique peut passer son ivresse à compter ce que s'envoient ses confrères de beuverie. Il se pique que sa conscience de la réalité le débarrasse de la réalité. Qu'elle reste à sa place, la réalité, qu'elle ne la prenne pas tout entière.

Décrocher est une rêverie comme les autres. C'est bon d'y penser, les veines pleines, comme à la douceur facile de la vie tant que l'héroïne coule à flots. À chacun sa stratégie pour arriver à ce but fantasmatique et son ami Charles lui détaille la sienne : il suffit de rouler le dealer, d'être suffisamment bon payeur pour, un jour, emporter son petit paquet, plus gros pour l'occasion, en promettant d'apporter l'argent le lendemain et de ne pas le faire. Ainsi le contact est rompu et on est bon gré mal gré contraint de se tenir à sa bonne résolution. Charles se vante d'avoir réalisé l'exploit mais, huit jours plus tard, Perrin le retrouve aussi accroché que jamais et de toute évidence pas en manque. Le dealer a passé l'éponge sur le gramme chapardé, sa bonne résolution à lui, mais se rembourse avec intérêts, sûr de sa force, sur les grammes et décagrammes suivants ; ces petits incidents de paiement doivent faire partie du commerce. Pas besoin de l'avoir volé pour que le dealer se manifeste, certains viennent aux nouvelles même quand il prend à la clientèle l'idée de se désintoxiquer honnêtement. La loi contre le harcèlement devrait s'abattre sur ceux-là dont, à la fois, le coup de fil malvenu quand on est en pleine détresse se révèle bienvenu en évitant d'avoir à lutter plus longtemps. Qu'ils soient amnistiés, aussi bien.

Rouler le dealer, Perrin n'y croit pas. Ce n'est pas sa culture. Plutôt : se faire rouler par lui. Comme dans une sorte de *Voyage de Monsieur Perrichon* à l'envers, n'est-ce pas alors le dealer lui-même qui a intérêt à rompre tout contact ? Le moyen est là, Perrin n'a plus qu'à l'appliquer. Le courage, aussi, est parfois sujet au manque, de même que la conscience peut être intoxiquée. Ou est-ce le courage qui est intoxiqué ?

L'héroïne incite Perrin à la compassion mais jamais pour le dealer en activité. L'inconscience est la chose du monde la mieux partagée. Le dealer est la personnification même de la maigre distance entre roche Tarpéienne et Capitole : on envie son univers de grammes infinis tout en sachant qu'ils l'emmèneront en taule. Ce sera triste pour tout le monde quand ce moment viendra pour Manuel, alors inutile de s'attrister à l'avance.

À une phrase flagorneuse de Perrin sur sa manière de pratiquer le métier, Manuel répond :

– C'est sûr que tu n'aurais pas ça avec l'Arabe du coin.

Il les juge trop épiciers, sans doute (mais, d'une façon générale, les bons comptes font les bons drogués), ou il s'agit juste de convaincre Céline de l'utilité de son travail tel qu'il s'y applique. Au fil des mois, les relations de couple se tendent. Mais la remarque gêne Perrin qui tâche d'émettre une réserve sans entamer la fausse complicité :

– Ce n'est pas ce que je voulais dire.

– Tu ne vas pas en plus devenir raciste ? dit Céline qui a trouvé une nouvelle prise.

Sandra commence à pleurer, sentant la tension.

– En quoi tu vaux mieux que les bougnoules ? dit Céline en saisissant Sandra sur le sol comme pour la protéger d'un père menaçant et en vérité abruti dans son fauteuil.

– Les bougnoules ? dit Manuel désarçonné que la concurrence soit résumée en ce mot.

– Je plaisantais, dit Céline, se reprenant pour éviter de pâtir de l'arbitrage implicite de Perrin. Mais qu'eux, en quoi tu vaux mieux qu'eux ? ajoute-t-elle comme si seul un pronom pouvait désigner cette population sans risque d'attenter à la correction.

– En fait, je vais prendre un gramme plutôt qu'un demi, dit Perrin, qui a des espèces sur lui, pour en finir avec la conversation d'une façon satisfaisant à la fois la politesse et la gloutonnerie.

– Prends une ligne pendant que je pèse, dit Manuel.

Pareille générosité est inédite.

– Comme c'est lui, je veux bien, mais ne joue pas au grand cœur avec tout le monde, dit Céline qui ne tient pas à ce que son père dilapide l'héritage de Sandra. Les Arabes, au moins, ils respectent leurs enfants.

Que restera-t-il côté paternel à la pauvre petite si l'argent fait défaut ?

La ligne vite reniflée aide Perrin à supporter la scène confortablement.

– Tu n'as pas besoin d'une télé ou d'un magnétoscope ? Ou tu ne connais pas quelqu'un qui en cherche ? lui demande un autre jour Manuel.

– Tu déménages ? répond Perrin tant leurs mondes sont différents.

Une brusque anxiété, il ne faudrait pas qu'il se retrouve en rade, sans l'adresse de son propre dealer.

– Non non, juste comme ça, dit Manuel.

– Non, dit Perrin. Pour l'instant, ma télé et mon magnétoscope fonctionnent.

De toute façon, il n'achèterait jamais au noir. La drogue ne lui crée déjà que trop de liens avec l'illégalité.

Plus tard, l'idée lui traverse une seconde l'esprit que Manuel recèle, peut-être. Par compassion prémonitoire, Perrin est toujours favorable à la reconversion de ses dealers. Mais pas maintenant, pas de cette manière. De fait, les semaines passent sans que l'héroïne manque tant que l'argent est là. Dealer est un boulot que Perrin ne pratiquerait jamais mais il est heureux que d'autres n'aient pas sa pudeur.

La première chose que Perrin attend d'un dealer, c'est qu'il soit joignable, l'honnêteté passe après – l'honnêteté est un luxe. Au moment où il a absolument besoin de lui, il faut que Perrin puisse mettre la main sur Manuel. La qualité, la quantité, c'est juste le confort ; la dose, ici, à ce moment, c'est la nécessité. Stopper une douleur est plus urgent que faire connaître son injustice. De toute façon, être drogué, c'est être roulé.

Un défaut de Manuel est d'habiter loin mais on n'a rien sans rien et le long trajet en métro de Perrin est égayé, à l'aller, par l'assurance du bonheur à venir, au retour, par le bonheur survenu. Avoir son petit paquet sur lui dans la rame bondée, savoir que dès son arrivée chez lui il va pouvoir être aussi bien qu'il le souhaite, dans la plus grande discrétion, sans personne que sa conscience anesthésiée pour penser quoi que ce soit, waw. Les pickpockets lui semblent les pires ennemis, gaffe aux Roumains. Pourquoi ils ne dealent pas, ceux-là ? Ils seraient mieux considérés : on ne crache pas sur les trafiquants quand on est trafiqué.

Lorsqu'il tombe sur le répondeur du dealer, Manuel ou autre, Perrin ne sait jamais si le mec (il a eu à faire à des fournisseurs d'autant de provenances que des footballeurs, black, blanc, beur, mais jamais à une fille) est vraiment occupé ou si l'absence est définitive. Si l'héroïne l'éloigne d'anciens amis, elle le rapproche de nouveaux qui sont de parfaits passeurs d'informations : l'arrestation de Manuel, c'est ainsi qu'il l'apprend. Il a aussi d'autres nouveaux amis pourvus d'autres dealers et la jointure est vite faite, pas de latence dans sa latence perpétuelle. Il avait une relation privilégiée avec Manuel mais payer offrira ce privilège avec le nouveau, lequel en outre préférera se déplacer, livrant la marchandise chez Perrin, avantage qui allège le choc émotionnel lié au destin du sympathique Manuel.

Perrin est cependant atterré quand il connaît les circonstances de sa chute : Manuel ne se contentait pas de stocker télés et magnétoscopes volés dans sa cave, également des détonateurs que son fournisseur à lui, le dealer de l'échelon juste au-dessus, lui avait confiés. Comme si trafiquant et receleur ne suffisaient pas, le terrorisme devient une accusation plausible. Le bruit court que Céline ne serait pas trop malheureuse d'en être débarrassée, que sa chute ne crée pas que du dérangement.

Des années plus tard, Perrin apprend qu'en fait Céline n'y était pour rien et n'avait pas tort de vouloir protéger sa fille. Manuel perdait la tête à cette époque. Il s'est retrouvé à devoir cacher un cadavre que son supérieur lui a exhibé quand il est allé se fournir et il avait pris l'habitude de demander à certains de ses visiteurs de froisser entre leurs mains les faux billets trop neufs qu'il manipulait par liasses. On ne sait pas ce qu'il est devenu, toujours en prison, sûrement, où son ex-clientèle n'a aucun mobile de venir lui rendre visite. Toutes ces histoires finissent mal, en général, toutes sont des histoires d'amour et de pornographie.

Sans elle, Perrin n'aurait jamais eu cette relation avec Lusiau. Il ne faudra pas oublier de le comptabiliser dans la colonne d'en face quand il entendra énumérer les inconvénients de l'héroïne. Car il est bien forcé de constater que plein de gens n'en prennent pas, qu'il y a un problème avec elle même s'il l'esquive, qu'on ne peut pas résumer l'héroïne à calme, luxe, joie et volupté.

Dans un congrès œcuménique (sont présents, en plus des universitaires, de jeunes artistes de diverses disciplines) à Madrid, un ami commun les met en rapport en leur faisant connaître ce qui les unit déjà. Quand la soirée est bien avancée, Lusiau, qui est arrivé l'avant-veille et connaît déjà ce qu'il faut de la ville, annonce avoir une petite course à faire et propose à Perrin de l'accompagner. Lui avait pris son parti de passer le congrès en manque, il ne monte jamais chargé dans un avion à cause des contrôles aux aéroports, mais un changement de programme dans ce sens est séduisant. Vu le but de l'expédition, il se sent obligé d'accepter le rôle d'accompagnateur, laisser l'autre s'occuper seul des désagréments pour ne profiter que du partage des avantages serait un peu vil. Ils y vont à scooter prêté par un participant espagnol, Perrin déteste cette machine et se colle néanmoins sans histoire derrière Lusiau qui est un beau jeune homme de dix ans de moins que lui. Le trajet, somme toute, est plus agréable qu'en métro et même la traversée d'un sinistre et interminable tunnel a quelque chose de réjouissant ; ensuite, ce sera la fin du tunnel qu'ils auront atteinte ensemble.

Ils s'arrêtent près de la gare. Quelle que soit la ville, il est rare qu'on n'arrive pas à conclure en ce lieu ce genre de transaction. Comme Lusiau ne parle pas espagnol, il se branche avec des Marocains. Perrin reste à l'écart, il dirait que ces mots, « à l'écart », sont ceux qui le définissent le mieux. Mais son argent, lui, est partie prenante de l'affaire, de même son nez et ses veines ne sont pas si à l'écart que ça de l'héroïne. Avec un soupçon d'anxiété qu'éteint le calme apparent de Lusiau, Perrin le voit sortir son passeport pour le montrer aux dealers, comme si ceux-ci étaient des policiers déguisés pour appâter le chaland. Mais tout se passe bien, Lusiau lui explique qu'au contraire ce sont les Marocains qui l'ont pris pour un flic et à qui il a dû prouver sa nationalité française. « Tout est sous contrôle », dit Lusiau ainsi que le fait tout drogué dès qu'il a sa dose à portée de veine. Ils pourraient patienter avant de tester leur achat, l'attente n'aurait rien de pénible maintenant qu'ils savent pouvoir la faire cesser au moment choisi. Mais pourquoi ne pas choisir ce moment où justement ils en ont ? Ils ne vont pas jouer au plus fin avec elle : si on doit profiter de l'héroïne, autant en profiter pleinement. La proximité de la gare et de ses toilettes les aide à se rassasier au plus vite. C'est une intimité, déjà, une amitié qui commence fort.

Bien sûr qu'ils se revoient toute la journée du lendemain et du surlendemain jusqu'à la fin du congrès et encore à Paris. Ils sont complices pour de vrai, pas comme Manuel et Perrin, et l'argent ne vient pas polluer la relation. Ils vivent l'héroïne ensemble de a à z, de la quête à la prise, et souvent la prise tout entière quand ce ne sont pas les suivantes. Lusiau est un peintre et sculpteur prometteur, Perrin n'a vu aucune de ses toiles ni de ses pièces, tant pis. Lusiau n'est pas non plus expert du travail de Perrin. Lorsque Lusiau lui montre enfin un catalogue, Perrin est surpris d'un univers moins joyeux que ne laissait présager la fréquentation de l'artiste mais solide, dense, personnel. Avec son affection et l'héroïne, il trouve les mots pour lui en parler.

Ils ont pris le pli de s'appeler par leur nom, comme des lycéens qu'ils ne sont certes plus, et l'habitude survit à leur retour. Au téléphone, les premiers mots sont immanquablement « Salut, c'est Lusiau » ou « Salut, c'est Perrin ». Ils se trouvent être voisins à Paris. À part ses deux journées hebdomadaires à Tours (et encore, quand il n'y a ni vacances ni grève, des profs, des étudiants ou de la SNCF), Perrin, qui s'est débrouillé pour être astreint à un minimum de bureaucratie, est très libre de son emploi du temps, et encore plus Lusiau maître des heures à passer dans ou hors de son atelier, l'inspiration est aussi bien partout que nulle part, de sorte qu'ils se voient beaucoup. Quand ils sont ensemble, ils ont pourtant la même liberté que s'ils étaient seuls. Car, sans compter ceux dont il faut se cacher, il y a aussi les amis qui risquent de dire, à la longue, « Tu ne trouves pas que ça commence à faire beaucoup ? » ou « Tu ne ferais pas mieux d'arrêter un moment, tu crois ? », s'imaginant que c'est leur devoir d'ami, qu'il ne s'agit pas de morale mais d'amitié. Ça se défend mais bon, quand on prend de la poudre qu'au moins on en profite, ils en reviennent toujours à ça. Eux deux, ensemble, ils sont en sécurité. En plus, leur humour et leur intelligence à chacun s'adaptent au mieux avec ceux de l'autre, Perrin et Lusiau font deux amis parfaits. Sans elle, ils n'auraient peut-être pas échangé trois mots : merci à l'héroïne.

À la fois, Lusiau est un joli garçon que Perrin aurait remarqué au premier coup d'œil. Là encore, l'héroïne, peut-être, est d'une grande aide. Car Lusiau ne cache pas son goût pour les femmes, il semble que Perrin n'ait rien à tenter. Il a pourtant un ami gay qui lui a dit, un jour qu'ils évoquaient une telle situation, qu'être hétérosexuel n'est pas un destin, que la persuasion n'est jamais une arme inutile, et c'est Perrin qui avait été convaincu. Mais l'héroïne ne multiplie ni le désir sexuel ni l'analyse rigoureuse de sa propre existence. Que l'hétérosexualité soit parfois une fatalité simplifie la vie. C'est plus facile d'être élégant et détaché, de maîtriser son désir quand l'héroïne l'a écrasé.

Toutefois, quelque chose se joue là. Sans doute surpris que Perrin n'en prenne pas sa part, Lusiau en fait des tonnes. Un après-midi, dans son atelier, il lui explique la relation particulière entre le peintre et le modèle, qu'il a fait poser nues pas mal de filles, même si ce n'est plus trop aujourd'hui sa démarche, et que, le plus souvent, ça se terminait on ne peut mieux.

– C'est très spécial, pour la fille mais pour moi aussi, dit Lusiau. Tu vas voir.

Et il se fiche à poil, prenant une pose de discobole grec pour un éventuel sculpteur de l'Antiquité, intégralement offert au moins à la vue.

– Essaie de continuer à me parler comme si de rien n'était. Pour toi aussi c'est bizarre, non?

– C'est charmant, dit Perrin pour ne pas cracher dans la soupe ni sauter sur l'occasion, prenant acte que ça reste calme, dans l'entrejambe tant du voyeur que de l'exhibitionniste.

Car il faut l'héroïne pour que Lusiau se déshabille et, avec l'héroïne, le sexe est moins prégnant.

La semaine suivante, Lusiau lui offre une petite œuvre à lui, une représentation réaliste et à la taille de son pénis en érection, fait d'après modèle, par apposition de l'engin sur la toile.

– Très réussi, dit Perrin avec la même stratégie qu'à sa réplique précédente.

Ces épisodes sont vite oubliés. Pourtant, ce type de situation, habituellement on s'en souvient. Perrin a son copain avec qui il n'habite pas, qui n'est pas souvent à Paris, et est organisé pour voir de temps à autre des amants. C'est déjà compliqué comme ça à tous points de vue. Lusiau a sa copine aussi et ils cohabitent. Il y a de la place pour leur relation à eux deux mais pas pour leur relation sexuelle. Pour celle-ci, ils ont le temps, l'occasion, peut-être le désir, mais certainement pas la place. Bien sûr qu'ils ne vivront pas ensemble, tous les deux, quand bien même ils auraient réalisé de réjouissantes galipettes : Perrin ne quittera pas son copain ni Lusiau sa copine. Ça changera la relation sans les mener à rien de connu. Et pourquoi mettre le cul au pinacle quand l'héroïne s'ingénie au contraire à situer la pratique sexuelle au second plan ? Au lieu de faire de l'inaccessible abstinence l'unique prévention valable du sida, le Vatican ferait mieux de promouvoir l'héroïnomanie qui rend cette abstinence accessible. C'est le genre de blagues qu'ils imaginent ensemble, leur complicité s'étendant à la sexualité quoique plus dans la conversation qu'au fond d'un lit. Ils en parlent, parlent, parlent, comme s'ils n'avaient que ça à en faire.

L'art est aussi pour Lusiau un moyen de promotion sociale. C'est grâce à son talent et son envie qu'il est arrivé à Paris, qu'il est entré dans ce monde de peintres et de sculpteurs où l'héroïne circule. Dans sa zone, il fumait du shit, tout simplement; c'est dans le beau monde qu'il a croisé plus coûteux. Plus tard, lorsque après une exposition fructueuse il s'achètera une Maserati, il dira à Perrin qu'il n'a jamais voulu casser les belles voitures, juste en avoir une lui aussi. Lusiau est attaché aux signes présumés de virilité. Il fait des histoires dès qu'il se sent mal considéré, au café, dans la rue, au restaurant – qu'on comprenne que ses pieds sont destinés à rester immaculés, il ne laissera personne marcher dessus. Perrin est plutôt adepte de la discrétion mais le couple fonctionne malgré l'antinomie.

L'ami commun qui les a présentés à Madrid a dit à Perrin que Lusiau pratiquait un arrivisme épanoui, pas du tout étriqué comme ils font eux deux, et c'est sûr qu'il y a quelque chose de sain dans cette évidente volonté de ne pas se contenter de la vie de merde pour laquelle il a été éduqué. L'héroïne est un fameux grain dans ce rouage ; ce n'est pas en dealant que Lusiau compte se payer une Maserati. Mais elle est aussi la preuve qu'il ne renoncera à rien pour réussir, pas même à elle. Elle est un signe d'épanouissement, on ne va pas demander à un artiste de censurer ses propres expériences.

Son signe principal de virilité, on ne peut pas dire que l'héroïne le fouette et, pourtant, Lusiau reste convaincu que ce n'est pas un produit pour les femmelettes. La poudre, on la flanque aussi aux yeux, ne serait-ce qu'aux siens propres. N'importe qui ne se risque pas là-dedans, c'est un voyage d'aventurier. C'est implicite mais Perrin et lui sont d'accord sur ce point, deux explorateurs partageant une même expédition.

Cet aspect « grande découverte » est cependant exclusivement mental et lui correspond un embourgeoisement pratique. Ils passent un temps fou à prendre des pots, chez l'un ou chez l'autre ou au café. Ils dînent souvent chez Lusiau où sa copine Ninon prépare la bouffe, les laissant vivre comme des pachas dont le seul boulot est d'aller pisser ou faire semblant pour ne pas laisser leur nez en panne sèche. Ils fument quelques pétards, ce qui leur donne le droit d'être drogués devant Ninon qui ne supporterait pas qu'il soit question d'héroïne. Elle-même ne fume pas mais est toujours dans le ton, les voir rire la fait rire.

Perrin et elle s'entendent bien. Lusiau, assuré de l'homosexualité de son ami, peut voir cette bonne entente sans une once de jalousie et, sa virilité n'étant pas en cause, s'en satisfaire autant que Ninon de leur haschich. Comme auprès des dealers, Perrin a tout de suite fait bonne impression par son côté propre sur soi. Il est habitué : au début qu'il a pris de l'héroïne, c'était souvent en compagnie d'un homme plus âgé, Amani, dont la femme, qui, elle aussi, redoutait cette mauvaise habitude, était rassurée quand c'était avec lui que l'époux passait son temps. Autant dire qu'il y a des siècles que de tels malentendus ne lui provoquent pas de conflits moraux.

À lui aussi, Ninon est immédiatement sympathique. Et un des mobiles est qu'il lui prête une excellente influence sur leur copain commun. Car Perrin s'inquiète parfois pour Lusiau qui est encore un jeune homme, il faudrait qu'il ne force pas sur la poudre, que ça ne massacre pas son énergie. Pour lui-même, il ne prend pas le temps de s'angoisser. On dirait que son cas est différent de celui de tous les autres héroïnomanes du monde, qu'avec lui ça va bien se passer, que se soucier d'un seul de ses collègues en poudre est déjà une fameuse concession à ceux qui prêchent l'abstinence. Quand ils ne sont que tous les deux, se moquer de ces prosélytes de la tolérance zéro est un thème central de leurs conversations. Le premier vrai argument contre la drogue en est un que les campagnes de prévention passent le plus souvent sous silence pour se consacrer à des préoccupations à prétentions plus humanistes : ça rend dépensier, toutes les économies y passent. Perrin et Lusiau chopent vite l'avarice des héroïnomanes où le moindre grain de poudre sur la table est aussi précieux qu'une relique quoique adoré d'une façon moins solennelle – reniflé illico. L'autre argument contre, plus physiologique, il y a encore moins de fierté à le mettre en valeur. Souvent, les mecs sont attachés à ce que leur pénis ne serve pas qu'à uriner. Et quand, complètement cassé, il rentre seul chez lui dans la nuit, abandonnant Ninon et Lusiau amoureux seuls chez eux, Perrin, le temps de cette petite marche, redoute parfois pour son ami que les filles aussi attendent du sexe de leur copain autre chose que des éclaboussures sur le sol des toilettes.

Ce matin, Perrin est nu face à lui-même. Qu'il se rassure, rien de pesant : il sort juste de la douche et il y a un miroir dans sa salle de bains. Il ne peut pas faire autrement que de voir son pénis. C'est un organe qu'il n'a pas trop en tête, ces temps-ci. Et son trou du cul? L'héroïne constipe à tel point que le réveil est le seul moment de la journée où ses intestins peuvent passer outre, et encore, c'est une opération lente, presque douloureuse. Ou cette douleur peut-elle devenir plaisante sans masochisme? Ce n'est même pas une question d'homosexualité, juste de sexualité. Les testicules doivent être pleins à cracher, à la longue. Il voit son sexe, le temps que ça lui prendra de le faire durcir qui retardera d'autant sa première prise de la journée, soit il se dépêche soit il renonce, comme tous les jours. Que ce serait compliqué de devoir se préoccuper de ça avec des partenaires. Se frotter avec sa serviette n'est d'aucune aide, manque l'excitation. Il se dépêche ou il renonce, aujourd'hui? Il retourne s'allonger nu dans son lit en faisant de masturbation vertu : tant qu'il n'aura pas joui, il s'interdit la moindre prise. Alors c'est agréable de faire durer les choses, luttant ainsi contre la mainmise prétendue de l'héroïne sur son existence. Ne pas bander, bander en maîtrisant, c'est résister. Il ne lui échappe pas que, selon cette même logique, jouir revient à collaborer. Le sperme expédié, rien ne s'oppose plus à l'héroïne. Elle n'a plus rien à gâcher.

L'héroïne l'habille. L'affaire sexuelle réglée d'avance pour la journée, il se ressuie et sa nudité ne risque plus de lui poser problème. Quand il est seul, il n'a rien à cacher à personne, ça donne de l'aise. En compagnie, il y a toujours le risque d'avoir quelque chose à expliquer, de ne pas pouvoir prendre sa dose exactement à l'instant qui conviendrait, d'être esclave des circonstances. La drogue est un meilleur maître dont rien d'inattendu n'est à redouter. Un héroïnomane, voici le vrai homme d'habitudes. Il demande juste à chaque journée d'être comme la précédente, riche de son produit. Tandis que le baiseur fou vole de coup en coup, ce n'est jamais assez neuf, jamais assez différent, Perrin n'a plus ces ambitions de jeune homme. Peut-être que l'héroïne est un peu moins neuve, un peu plus semblable jour après jour, mais le plaisir lui-même ne peut pas toujours être à son top. Tous les orgasmes n'en sont pas non plus, on sait que les femmes, souvent. Ah, la délicatesse, l'affection, la commodité, la feinte. Sa vie sexuelle serait plus simple si elle était moins sexuelle, si les hommes n'avaient pas une jouissance si vérifiable.

Nu face à soi-même : il faudrait que Perrin soit un piètre héroïnomane pour rester longtemps dans cet accoutrement.

L'héroïne est un serpent qui lui mord la queue ; il n'y a pas meilleur aphrodisiaque pour l'impuissance. Lusiau lui raconte au téléphone sa mésaventure de la nuit dernière. Il drague une fille dans une soirée et s'apprête à passer à l'acte quand l'hôte lui offre une ligne. Il la prend, s'imaginant que c'est de la cocaïne, comme toujours dans ces fêtes. En vérité, il a sniffé une dose d'héroïne et il est furieux, sachant ce qui va se passer, à savoir rien. Il se sent un instant ridicule avec sa mollesse chimique avant d'arriver quand même à s'en satisfaire, c'est-à-dire à se débarrasser de la fille et de la question, par la seule faiblesse du corps et de l'impensé, on n'a besoin de rien quand on est bien stone. « Entre poudre et cul, tu as la bite entre deux chaises », commente Lusiau plus rieur dans le récit qu'il ne l'était en direct, « et tu choisis toujours le même canapé ». Le sexe, quoi qu'on dise, ne fait pas le poids.

Perrin, ça remonte loin, la première fois où il a fait le lien entre l'héroïne et un fiasco. Il avait repéré un jeune garçon dans un bar, ami d'amants, qui lui plaisait beaucoup. À ce qu'on lui en disait, ce Florent était dans la poudre jusqu'au cou. Perrin le drague tout en faisant savoir qu'il est bien pourvu, c'est-à-dire pourvu, rien d'anatomique. Le garçon l'accompagne chez lui. Perrin prépare deux lignes, offre la première à Florent, que la politesse aille de pair avec la générosité, qu'on baigne dans l'élégance. À peine a-t-il consommé que le garçon est déjà torse nu, conscient de son devoir. Comme l'héroïne aiguise également les sensations morales, Perrin prend la peine de lui préciser que ce n'est pas parce qu'il lui offre de la poudre que l'autre est obligé de coucher avec lui même si, de son côté, il serait enchanté de le faire. « D'accord », dit Florent en se foutant entièrement à poil avec une rapidité que son manque de vivacité interdisait de prévoir. Il n'est pas en état d'entrer dans le jeu des dénégations, il est si abruti par la poudre que ça lui donne une certaine lucidité : en entendant « coucher », il a juste compris « coucher » et le mot lui a paru inutile tant le déroulement de la soirée était écrit.

Perrin est vite nu aussi, ils commencent à se caresser sur le lit. Plus exactement, Perrin caresse Florent qui ne fait preuve d'aucune réserve mais semble être déjà tellement assouvi que rien de plus ne lui est indispensable. Il ne bande pas mais c'est comme si ça n'avait pas à intervenir sur sa posture sexuelle. Pour Perrin, le problème est plutôt qu'il fait preuve de la même incapacité. Il s'échine sur le corps de Florent, sur son propre pénis. À certains moments, il y est presque mais jamais assez fort assez longtemps et, au bout d'un moment, il trouve préférable de renoncer. Quand il l'annonce il ne sait pourquoi au garçon qui ne l'aurait peut-être même pas remarqué, celui-ci gémit misérablement, semblant s'en plaindre comme si soudain il prenait la baise pour un plaisir. Il s'y met, lui qui n'a pas la moindre chance d'y parvenir, dont le pénis est l'image même de la mollesse et la passivité la principale caractéristique. Échec lamentable et prévu après lequel il ne persévère pas, la conscience tranquille. Florent s'en fiche et Perrin n'a d'autre ressource que de feindre de faire de même. Mais si le garçon sortait dans un bar pour se faire offrir de la poudre, lui n'y allait pas juste pour en donner.

Et le mois dernier – Perrin n'a pas diffusé l'anecdote. Ça lui est arrivé à Tours avec un tapin, et même pas par tromperie. Il s'emmerdait tellement après ses cours du jour à devoir attendre ceux du lendemain que l'héroïne n'a pas suffi. Il est parti en chasse tarifée, celle où le gibier ne fuit que les complications. Il savait qu'il n'était pas dans de bonnes conditions mais ça lui disait cependant. En se déshabillant, l'idée lui est apparue et s'est rapidement imposée que ce n'en était pas une si bonne, ce genre de distraction, dans cette circonstance, et cette lucidité n'a pas contribué à le raffermir.

Malgré toute la panoplie des friandises destinées à changer la chose, elle n'a pas changé. Comme il a pensé que le tapin devait être familier de ce genre de fiasco et qu'il ne voulait pas dire « Je ne sais pas ce qui se passe, ça ne m'arrive jamais » comme tout le monde, il a dit : « Désolé. J'ai peut-être trop forcé sur l'héroïne, ce soir », prenant soin de ne pas dire héro comme font les accrochés, eux-mêmes devenant par contraction extensive « les accros », ceux-là qui sont de vrais drogués et dont il n'est donc pas. C'était aussi une façon de se rapprocher du tapin, entamer une autre complicité vu comme la poudre est répandue dans ce milieu. C'était une manière de faire comprendre que l'héroïne ne gâchait pas forcément la vie, qu'elle arrivait à des gens très bien. Le tapin a dû penser que ça lui gâchait quand même la sexualité. Dans l'esprit de Perrin, sa honte aurait dû être allégée par la cause avouée. Or, à certains instants, tels des flashs, au contraire c'est une double honte, il a renoncé au sexe par commodité, il l'a décidé – c'est son choix. Avec ce que lui a coûté cette passe manquée, il aurait mieux fait de se payer un quart de gramme.

L'héroïne manque de chair, elle délivre Perrin du sexe. Mais qui veut en être délivré ? Qui ambitionne d'être hors service ? Il y a des hommes âgés qui se suicident quand la limite est atteinte au-delà de laquelle leur billet était valable et Perrin en connaît pour qui la vieillesse est une sérénité, finie la soumission obligée aux diktats du sperme. Il lui faudra cependant des décennies encore pour rencontrer organiquement cette alternative. Des années durant, il a couché autant qu'il a pu, l'addiction lui est venue avant la drogue : quand on est habitué à baiser chaque soir ne serait-ce que depuis quinze jours, le manque est criant s'il faut se priver le seizième. L'héroïne rend doux ce manque-ci. Quand il n'a pas baisé depuis quinze jours, pourquoi pas seize, dix-sept, dix-huit? Les vases communiquent qui sont plutôt des puits sans fond : si c'est contre une faille psychologique qu'il se tourne vers l'héroïne, il s'agit juste d'opérer un transfert du manque, lequel sera plus aisé à combler, le dealer étant cent fois plus fiable que le psychanalyste quant aux résultats immédiats.

La première fois non pas qu'il y a échoué mais que Perrin a fait l'amour sous héroïne, personne ne l'avait prévenu que ce n'était pas recommandé. Il était amoureux, au tout début de la relation, et ce fut interminable. Il lui fallait un temps fou pour tout sauf pour être bien, un pur bonheur. C'était tellement doux qu'il n'a même pas pensé que l'amour y était pour quelque chose, c'était naturel comme un paradis artificiel et la réciprocité si évidente qu'à aucun moment il n'a pu imaginer l'autre comme une gêne. La quantité d'héroïne dans ses veines était ce qui convenait exactement et il n'y avait pas à rêver de s'isoler pour la faire grimper. Et lorsqu'il a joui, rien n'a changé, tout était encore parfait et la drogue pas une urgence. L'urgence était de rester collé, d'aimer encore, au-delà de la jouissance. Il en tira des conclusions contradictoires : que le sexe rend l'héroïne caduque, que l'héroïne améliore le sexe. Le plus caractéristique de cette scène est toutefois qu'elle ne s'est guère reproduite. Ç'a été moins facile ensuite, être informé des risques l'y a rendu plus sensible, le sexe n'améliorait plus l'héroïne qui rendait le sexe caduc.

Un ami se plaignant d'avoir un boulot de merde a conclu en riant : « Je sublime ma vie professionnelle dans ma vie sexuelle », et Perrin s'est demandé, un bref instant car ce n'est pas le genre de chose à quoi penser pour être au mieux, ce que sublimait sa vie héroïnomaniaque. Il sublime sa vie sexuelle dans sa non-vie sexuelle. Ce n'est peut-être pas attirant comme ça, à entendre ou à lire, mais la pratique a ses charmes. Il n'y a pas plus cool que ne pas draguer, ne pas chercher à séduire, on est tout de suite plus détendu. Ça gagne un temps et une énergie. Et Perrin a cette préoccupation permanente, gagner du temps, sans doute pour en avoir plus à perdre. C'est du temps qu'il s'injecte en s'injectant de la poudre, des particules de temps sorties du temps universel pour nourrir son petit temps personnel. Arrêter le temps est un rêve aussi banal qu'irréalisable, le laisser couler à son rythme à soi, voici une ambition moins mégalomaniaque et tellement plus accessible. Il peut voir avec satisfaction l'héroïne comme une cage fermée à double tour : le temps ne risque pas de s'en échapper. Ce qu'il appelle ainsi n'est plus un concentré de secondes et de minutes mais une humeur, un flux, une perpétuité. L'éternité ressemble à un tas de sable à disposition, un château de sable en Espagne qui serait fait d'une substance autrement précieuse et qu'aucune marée n'entamerait.

Ça se saurait, si le manque était aussi violent côté sexe. L'héroïne est du sérieux, comme la faim et la soif, pas ce genre de truc dont on vient à bout en se caressant le bas-ventre.

Ce soir, Perrin est nu face à personne. Dans son ennui, plus qu'un désir ou un plaisir, le sexe est une idée. Il s'est déshabillé pour se coucher mais peut-être y a-t-il mieux à faire, se coucher serait un renoncement. Il ne se relèverait plus même à l'occasion d'une dernière prise pour la route ? Alors que s'il tient debout encore deux heures, une petite récompense serait légitime, non ?

Le sexe est utile en telle circonstance. Bien sûr, il a l'option de se rhabiller, partir en boîte ou à la rencontre d'un tapin, mais ce serait trop cher payé en dérangements, son incapacité vraisemblable les couronnant tous. La masturbation, encore ; rien ne marie mieux le sexe et l'impuissance. Le cerveau mériterait d'être un membre jaillissant et l'héroïne de supplanter à sa manière le Viagra. Combien de fois il a décommandé un coup qui n'aurait servi qu'à lui compliquer l'onanisme.

Le plus efficace, c'est le shit. Au début, il se l'est procuré pour une raison différente : si jamais le moment vient où il décide d'arrêter l'héroïne, ce sera bien d'avoir quelque chose qui l'aide dans les premiers jours physiquement si difficiles. En attendant, un glissement progressif du plaisir s'est effectué en faveur du haschich. Voici, sinon un véritable aphrodisiaque, du moins un excellent accompagnateur de baise. Et, avant de se brancher sur le réseau téléphonique, un petit pétard donnera plus d'éclat à ces minutes à venir. Il est seul chez lui mais se prépare avec son téléphone comme pour un rendez-vous galant. Il ne lui échappe pas que l'image pourrait être pitoyable si on le voyait mais, encore une fois, il est seul chez lui. Nu et seul, il prépare son pétard dont le but est de l'aider non pas à jouir mais à se masturber. Jouir trop vite serait gâcher, il ne saurait plus quoi faire de son temps. Alors que se masturber est d'autant plus judicieux qu'il n'en a pas envie, ça ne devrait déboucher sur rien, autant de temps gagné supplémentaire. Et si ça se termine bien, bingo.

Sa grammaire intérieure le familiarise avec l'irréel du présent. Anonyme, il est n'importe qui, autant pour lui que pour les autres. Sur le réseau, il a n'importe quel âge, il aime n'importe quoi. C'est tellement simple, un fantasme, il n'y a pas besoin de l'assumer quand on ne vise pas à sa réalisation, quand il suffit de l'exprimer pour qu'il fasse son petit effet. Il ne trompe pas les autres, qui sont aussi sur le réseau, qui savent à quoi s'en tenir, c'est seulement lui qu'il maintient dans l'indécision. Sa masturbation infinie est juste destinée à donner une épaisseur au temps. Dans son fantasme, il a autant de partenaires qu'il veut et qui répondent parfaitement à son imagination, sans qu'il la leur communique, dans leur spontanéité. Il peut feindre d'être soumis en décidant de tout. Il dirige le temps qui coule dans ses veines. Sa façon d'être victime, c'est mettre son prétendu supplice en scène de a à z, un masochisme de maître.

Son impuissance aléatoire est un effet collatéral de l'héroïne. Un dommage? Il prend la poudre pour ne pas penser à tort et à travers, pour se couper de sa propre existence, éviter d'avoir sur elle une opinion déprimante et voici que ça lui évite des plaisirs plus courants mais ragaillardissants et que ça lui autorise des fantasmes inépuisables : leur invraisemblance de départ rend impossible d'en faire le tour autrement que par la répétition imaginaire, que ce ne soit pas la morale ou l'intelligence ou l'instinct vital qui en provoque le dégoût mais bien seulement la satiété. Se rassasier : à quoi sert l'héroïne si en avoir la bonne dose ne suffit pas à éteindre toute autre faim ?

Perrin est nu face à sa moquette. Ce n'est pas forcément agréable de respirer si près du sol mais l'énergie sexuelle est censée transcender des inconvénients plus conséquents. Allongé par terre, il peut frotter doucement son pénis à la manière d'une castration physique qu'il se concocterait aussi par une imagination débordante, débordée – la castration à coups de jouissance masturbatoire, quand n'est plus requis comme présence de l'autre que sa voix. Il peut faire du mal à tout le monde sans en faire à personne lorsque les mots qu'il met sur son fantasme ne convoquent que des crimes imaginaires auxquels l'autre a tout intérêt sexuel à croire aussi. Pourtant, l'autre, au bout du fil, n'est sans doute pas héroïnomane. Ce qui excite l'autre, qui ne fait que l'écouter, lui paraît d'une bizarrerie à éclipser la sienne.

Humiliations, tortures, viols, il peut imaginer n'importe quoi dans tous les sens sans danger ; le danger est qu'il est même contraint de le faire, son pénis ratatiné ne sortirait plus de sa réserve pour moins. Sans shit, pas d'excitation. Sans excitation, un tel ennui que même l'héroïne n'en fait pas un bonheur. Sans imaginations folles, pas d'excitation tant l'héroïne est castratrice au sens le plus médicamenteux du terme. C'est un combat : l'élimination de la sexualité par l'abstinence ou par l'éjaculation. Il trouve plus présentable le deuxième terme de l'alternative mais le but n'est pas en cause : que la sexualité ne vienne plus interférer dans sa vie. Assécher tout sperme pour qu'aucune question ne se pose, aucune action.

Il aurait honte que la moindre publicité soit donnée à son récit et pourtant s'emploie lui-même à le diffuser, dans l'anonymat téléphonique. C'est parfait s'il pose les bonnes questions, intervient avec les bonnes exclamations, mais Perrin n'a pas vraiment besoin des phrases de l'autre, juste de son excitation – c'est ça, leur communauté de deux, un soupir, une respiration, un halètement révélant une écoute passionnée.

Aujourd'hui, il y a en outre un misérable contretemps. Sans s'en rendre compte, il a dû rapporter de la rue, sous la semelle de sa chaussure, un vieux chewing-gum qui s'y est collé et s'est décollé sur sa moquette toujours sans qu'il le remarque, de sorte que c'est quand la vieille pâte mordillée s'incruste dans ses poils pubiens qu'il découvre son existence. Impossible de la retirer avec ses doigts auxquels elle adhère. Même une douche n'en vient pas à bout. Sa seule solution consiste à débroussailler son pubis avec des ciseaux, de sacrifier des poils pour que le chewing-gum suive le destin du bébé dans l'eau du bain. Il doit terminer au rasoir, une lame foutue à cause de la matière à quoi elle s'est opposée. Après quoi, il lui faut recommencer tout son processus d'excitation avant de retourner s'allonger sur sa moquette, pas n'importe où cette fois-ci (il nettoiera le sol plus tard, pour ce soir il a soupé de l'hygiène), et de reprendre en main et en oreille son téléphone.

L'argent qu'il y dépense, c'est autant qu'il n'aura pas pour ses grammes, comme le tapin intouché, mais n'est-il pas sage de réduire ses dépenses d'héroïne ? L'avarice peut être un moyen de combat contre l'intoxication. Mais non : il se débrouillera toujours, pour l'argent de la poudre, seul le manque de revendeur perturbe significativement le trafic.

Lusiau lui a raconté une stratégie à laquelle il a été une fois réduit avec Ninon. L'héroïne à la maison serait un motif de rupture. Pour en prendre, il n'a pas trop de mal, même en couple chacun a sa part d'intimité. Mais, parfois, Ninon est soupçonneuse et suffisamment connaisseuse pour alors faire de l'amour physique un test. Elle attire Lusiau au lit qui ne peut pas avoir la migraine tous les jours, d'autant qu'il était franchement demandeur avant que son appareil génital ne soit relégué au second plan. Parfois, il essaie, comme Perrin, d'en finir dès le matin pour s'assurer une journée tranquille, en pleine décontraction, assouvi de partout, mais c'est le soir que son amoureuse fait son enquête. Et Lusiau a trouvé une façon de passer l'épreuve avec succès dont Perrin est heureux qu'il la lui révèle, qu'il la partage avec lui, signe d'une relation forte, d'une fraternité des incapables où l'héroïne apporte à la fois la fraternité et l'incapacité, on pourrait la porter aux nues ou la mettre au pilori pour ça. Lusiau dit être si doux si longtemps avec ses doigts et sa langue que sa copine réjouie obtient toute satisfaction (jusque-là, à peu de chose près, rien de nouveau pour Perrin) et que lui-même, en prévision de cet instant, a pris soin de malaxer et remalaxer dans sa bouche quelques gorgées de salive pour qu'elles deviennent le plus pâteuses possible et qu'elles fassent sommairement l'affaire, comme tache sur les draps étalée avec les doigts, après qu'il a lancé quelques gémissements adéquats avant de se rallonger auprès de Ninon prétendument repu et reprenant enfin ses esprits après ce comble mensonger d'excitation et de jouissance.

Mais Perrin est seul chez lui, ça ne sert à rien de faire semblant d'éjaculer.

L'avantage est qu'il peut faire l'amour indéfiniment, puisqu'il ne le fait pas. Il n'aimerait pas jouir trop vite, ce serait du temps perdu, à retomber dans son ennui. De toute façon, il n'est pas capable de déterminer l'instant de son éjaculation, c'est toute une affaire que bander, et peu durable. Mais il peut imaginer des êtres par dizaines aux métamorphoses immédiates et aux désirs changeants pour faciliter la chose, et l'héroïne est utile pour ça, l'imagination ne subit pas le même affaissement que la plupart des autres fonctions. Et quand enfin il éjacule, c'est qu'il n'en peut plus, non qu'il ne parvient plus à se maîtriser mais qu'au contraire ce fantasme a donné plus que son suc, que c'est maintenant ou jamais. De guerre lasse, il jouit mollement. Sur son ventre, le sperme est collant comme un casse-couilles.

Amitiés opiacées

Au début, c'est huit cents francs le gramme, ce que Perrin trouve cher – mais pas tant que ça quand l'héroïne coule dans son corps. En tout cas, limiter sa consommation est une mesure budgétaire d'évidence. De plus, on lui parle tellement des dangers du produit qu'il n'est pas mécontent de dénoncer cette paranoïa par les faits. Sans qu'il se restreigne, son mince paquet lui dure un bon mois. Il a instauré une règle satisfaisant à la fois le social et l'économique et consistant à ne jamais consommer seul. Son ami Bruno est son complice de prédilection, ils passent de l'excellent temps ensemble sans qu'aucune gêne sexuelle, désir ou retrait, ne perturbe leur intimité améliorée. C'est un plaisir qui se déguste comme un bon vin, comme on s'accorde des vacances quand le travail de la journée est terminé, quelle que soit l'heure. Et l'absolue indépendance de Bruno, qui persiste à ne connaître l'héroïne que de loin alors que sa première prise remonte à des années, est un argument supplémentaire dans la conviction de

Perrin qu'on accorde au produit, pour des mobiles au fond politiques et sociaux, une dangerosité exagérée. Bruno, qui n'a jamais le sou, tempère, précisant qu'il n'en a jamais acheté lui-même, que toute celle qu'il a goûtée lui a été offerte et que, dans ces conditions, ne pas être y accroché n'a aucune valeur d'exemple pour ceux qui sont prêts à y mettre le prix. Huit cents francs le gramme, pas de souci : Perrin ne paiera pas ça souvent.

Malgré sa jeunesse comme enseignant, il a été bien reçu par ses nouveaux collègues en arrivant à l'université de Tours. Amani a été particulièrement accueillant. C'est un original d'une vingtaine d'années de plus que lui qui vit à l'écart des autres professeurs sans animosité, bien au contraire, de part ni d'autre. Il a toujours un mot drôle et pas d'ambition hiérarchique, content de son job tel qu'il se présente, on comprend que sa vraie vie est ailleurs. Près de sa femme et de sa fille dont il parle souvent, sûrement. Amani lui fournit de petits trucs appris sur le tas destinés à mieux accrocher les étudiants aux cours et c'est avec la même efficacité qu'il le briefe pour que Perrin parvienne à avoir son enseignement regroupé sur deux jours tout en étant déchargé du maximum de tâches administratives. Ils sympathisent, passent du temps à Tours où ils ont deux jours et une nuit de présence hebdomadaire communs, puis même à Paris.

– Tu prends de l'héroïne, non? dit un soir Amani, toujours souriant et doux, alors qu'ils sont à une terrasse.

Perrin si discret ne voit pas quel indice il a laissé filtrer, lui qui détesterait par-dessus tout que ça se sache dans un cadre professionnel, comme ça semble pourtant bien être le cas, et répond pourtant en confiance, le ton interrogatif lui ayant paru de pure politesse.

– Ça m'arrive. Comment tu le sais?

– Tes yeux, les pupilles. Ta façon de te gratter. Et puis elle et moi avons, ma foi, des relations intimes depuis pas mal de temps, ça donne de l'instinct pour reconnaître les collègues.

Amani lui offre une ligne. En d'autres occasions, ce sera Perrin le donataire. Ils n'échangeront jamais des coordonnées de dealers mais chacun achètera de bon cœur pour l'autre, quand nécessaire.

Perrin est toujours dans sa période maîtrisée : simplement, en plus de Bruno, il a désormais un compagnon régulier supplémentaire pour ses prises, et qui plus est au boulot où les deux ont le même intérêt à la discrétion. Seulement, Amani achète, lui aussi, il n'a pas la liberté désargentée de Bruno. L'héroïne, il est dedans depuis des années. Et c'est rassurant aussi parce que devenir ce qu'il est semble un objectif plutôt enviable, Amani ayant toujours de la gaieté disponible pour un interlocuteur. Il n'est pas du genre à présenter l'héroïne comme un cauchemar, racontant à Perrin des aventures merveilleuses. Par exemple, comment, dans une fumerie de Kuala Lumpur ressemblant à celle où va Tintin dans *Le Lotus bleu*, on lui a demandé ce qu'il comptait faire en sortant de l'établissement. « Parce que, selon qu'après tu vas te promener, manger, baiser ou dormir, ils te préparent ta dose différemment. » Ça paraît un comble de plaisir mais il s'agit d'opium. Perrin le connaît aussi, c'est même par l'opium qu'il est arrivé à l'héroïne, parce que ça lui a tellement plu et il était tellement difficile d'en trouver qu'il s'est rabattu sur plus accessible. L'opium est trop rare à Paris, il n'y a pas moyen de s'y accrocher.

L'héroïne est autre chose. Amani a l'habitude de ponctuer sa conversation de petits rires amusés sans que Perrin comprenne s'il se moque des propos qu'il rapporte ou du fait qu'il les reprend à son compte. Les drogues, d'un point de vue sociologique, psychologique et littéraire, sont un élément sur lequel Amani fait cours de sorte que, au fil des années, il a établi pour ses recherches des contacts avec moult chercheurs, psys et même policiers et est donc, à tous points de vue, un connaisseur des substances interdites. « Tout le monde a ses idées sur tout, le manque, le sevrage, pourquoi on en prend, chacun a sa théorie plus ou moins scientifique sans être sûr de rien. Sauf les flics, eux il y a une chose dont ils sont sûrs : quelqu'un qui y a touché, il y retouchera jusqu'à sa mort. » Suit son rire habituel, soit parce qu'il y a des gens pour croire une chose pareille, soit parce que l'héroïne l'accompagnera donc jusqu'à la fin. Perrin rit aussi, sans mobile plus clair, avec l'assurance de qui tente le diable, s'élève au-dessus des conventions et de ceux qui les respectent. Il a le sentiment de se tenir à distance de la dépendance et de la déchéance afférente, que nul ne peut imaginer son penchant pourtant détecté par Amani, que, au fil des mois et bientôt des années, il parvient à rester un simple amateur éclairé.

Son ami Lucien est le premier que Perrin initie à ce nouvel univers. Ils se connaissent depuis l'enfance et il y a entre eux une sorte de compétition inconsciente. Perrin fait d'abord montre d'un prosélytisme innocent, racontant ses premières prises à Lucien, dans quel état elles le mettent. Alors bien sûr que l'autre veut essayer aussi, goûter ce plaisir si rare et éviter que Perrin seul s'enorgueillisse du courage de la transgression. Lucien s'y met et, très vite, a son propre dealer, que Perrin ne se croie pas indispensable. Et, comme son dealer à lui tombe avant celui de Lucien, Perrin se révèle non moins rapidement enchanté de cette indépendance. De fait, il n'y a pas toujours abondance de fournisseurs, ils partagent souvent le même, ce qui est commode, chacun pouvant se faire le livreur de l'autre quand ils dînent ensemble, dîners dès lors spécialement agréables.

Lucien, qui n'entreprend rien sans la plus grande rigueur, n'apprécie guère Amani que Perrin lui fait rencontrer par souci cumulé d'amitié et d'extension des sources mutuelles d'approvisionnement. Il estime que le collègue de son ami manque de sérieux, d'envergure, qu'il ne prend pas en compte l'aspect révolutionnaire du produit et du mode de vie qu'il inocule, quand les priorités ne sont plus les mêmes, que le dévouement à son employeur cesse d'être la principale raison de travailler et vivre. Tant pis, Lucien et Amani ne se verront plus. Au demeurant, il semble à Perrin que, dans les faits, c'est Amani qui a envers l'Éducation nationale – ses cours fascinent tous ses étudiants sans qu'il se tue à les préparer – une désinvolture que son patron ne serait pas en droit de reprocher à Lucien qui fait plus que son possible pour prendre pied dans un cabinet d'avocats. Et si Perrin a parfois le même discours politique que Lucien, c'est sans se croire obligé de mettre sa conviction enfouie en accord avec ses paroles opportunistes.

L'héroïne affine encore la délicate générosité de Lucien pour qui c'est une élégante vengeance que d'offrir à Perrin ses premiers rails de cocaïne, en remerciement de la découverte de l'héroïne. Lucien est devenu l'ami d'une dealeuse plus âgée, pourvue d'un fils déjà adolescent qui traîne dans le même milieu que sa mère, celui des boîtes de nuit, et elle compte sur Lucien pour le sortir de cette mauvaise voie avec plus d'autorité qu'elle ne peut en avoir elle-même. Il la reçoit souvent chez lui pour la soirée, c'est-à-dire une bonne partie de la nuit, parfois avec Perrin qui voit les liens entre eux comme l'exagération de ceux que produit l'héroïne, un zoom permanent. Or tout ce qui le rend lucide le ragaillardit par principe, quand bien même ce serait un autre sentiment que devraient induire ses découvertes, comme si être convaincu de sa mort à venir était le meilleur mobile pour être de bonne humeur. Vient cependant toujours le moment où, après l'avoir multipliée, la coke limite toute lucidité et ces soirées demeurent donc excellentes.

Brenda passe le plus souvent la dernière, quand Lucien et Perrin ont déjà un peu d'héroïne dans le sang pour être sûrs que l'attente ne leur pèse pas. Elle est toujours gaie au début, le contraire serait une contre-publicité. Elle commence par sortir un triangle en papier quatre fois plus grand que les leurs et étale sur la table trois lignes de coke, quatre fois plus épaisses aussi que les plus larges qu'ils se font. Très vite, ils seraient déçus si elle n'avait plus cette générosité qui lance la soirée sur d'exaltantes bases amicales et commerciales. Le moment venu, qu'ils ont le tact de déceler aussitôt, ils lui achètent un gramme chacun, politesse minimale, ne pas le faire serait abuser d'elle. Ils sont vite bien lancés, se sentant tenus de partager leur achat avec des lignes dont ils n'aient pas honte après celles offertes par Brenda. Quand leurs paquets sont vides, elle remet une petite tournée. Et puis c'est de nouveau leur tour à eux, ils ont pris soin d'avoir des espèces sur eux en prévision de la bonne soirée.

Avec la coke, même le prudent Perrin ne peut se constituer de provisions tellement la dépendance est instantanée, quoique plus éphémère. C'est juste au moment où l'effet commence à faiblir qu'il en veut encore, lorsque l'effet a entièrement disparu il n'est pas aussi impatient de le retrouver que pour l'héroïne. Dans ces soirées luciano-brendaesques, l'effet ne cesse de faiblir et grossir et faiblir et ainsi de suite. C'est le manque et le rassasiement en accéléré. Patrice, le fils de Brenda, est un perpétuel sujet de la conversation passionnée. Telle est l'amitié, Lucien et Perrin s'ingénient à rassurer la mère à son sujet. En fait, leur situation à eux deux ainsi qu'elle l'interprète est ce qui lui fait le plus de bien. Rien n'empêche Patrice de s'en tirer aussi bien qu'eux. Ils ont chacun un boulot normal, ils ne passent pas leur temps en boîte comme les autres clients de Brenda, ils sont bien la preuve que la cocaïne ne conduit pas les sans-grade à l'enfer, hypothèse que son expérience à elle lui interdisait de rejeter. La première fois qu'ils ont pris un *speed ball* devant elle, ce mélange d'héroïne et de coke, elle a dû regretter cette gourmandise car l'héroïne c'est encore autre chose, mais ils ont compté que leur position était assez forte pour emporter à ses yeux l'usage des deux drogues dans la même indifférence, qu'on pouvait s'y adonner tout en restant aussi respectable qu'eux.

Par délicatesse, Lucien déploie mille arguments justifiant que la mère ne s'inquiète pas trop pour le fils, et plus il a de cocaïne dans le sang, moins il a de mal à être convaincant, tout plein d'imagination morale.

Dans les liens avec le dealer, le problème est que le *gentleman's agreement* d'origine se révèle en fait un contrat léonin. Toute vente acceptée entraîne une vente forcée à venir et ça saute aux yeux avec la cocaïne : tout ce qu'on a sur soi, il faut le finir dans la soirée parce que c'est trop difficile de penser à demain, et quand il y a la possibilité d'en ravoir, comment faire autrement que se jeter dessus ? La défense de Perrin, lors de ces soirées, est de calculer les espèces qu'il a sur lui avant de s'y rendre : il fait son marché à l'avance, décidant devant le distributeur de billets au bout de combien de grammes il rentrera chez lui, la plupart du temps en laissant Lucien avec Brenda pas encore rassasiée de réconfort mais sans inquiétude quant à l'écoulement de sa marchandise.

Perrin n'est pas assez ami avec Brenda, pas assez soucieux de Patrice, pas assez fan de la cocaïne pour que ces petites soirées l'accrochent plus que ça. Quand Paul lui demande de la coke qui lui faciliterait la vie avec un amoureux compliqué, au lieu d'en demander lui-même à Brenda, il l'aiguille vers Lucien.

*

Avec Bruno, Paul est son autre meilleur ami (Lusiau, ce sera encore une intimité différente). C'est le seul de ses très proches à ne pas toucher du tout à l'héroïne sans qu'elle lui pose de problème explicite. Perrin ne lui cache pas qu'il en prend et Paul ne s'en mêle pas, comme si ça ne comptait pas ou qu'il n'y avait rien à en dire. Entraîné par ses conversations avec Lucien jamais en manque d'une théorie sur les bienfaits de l'héroïne pour certains, pour leur indépendance sociale de rebelles clandestins, Perrin, parfois, ne rechignerait pas à se présenter comme Lorenzaccio, agressif envers ceux qui se gardent de la poudre comme d'un bonheur dangereux ou immoral : « Crois-tu donc que je n'aie plus d'orgueil, parce que je n'ai plus de honte ? Si tu honores en moi quelque chose, toi qui me parles, c'est l'héroïne que tu honores, peut-être justement parce que tu n'en prendrais pas. » Ce n'est même pas qu'il se voit tel, plutôt qu'il trouverait supportable d'être vu ainsi. Toutefois, l'argument lorenzaccien ne vaut rien avec Paul puisque ce n'est pas par une ignominieuse vertu qu'il n'en prend pas mais parce qu'il n'en veut pas. Le mystère est : grands dieux, pourquoi n'en veut-il pas ? Et il est insoluble parce qu'autant Perrin a des conversations passionnées sur l'héroïne avec Lucien, autant jamais avec Paul. En parler est déjà une affaire d'héroïnomanes.

Alors que Perrin n'accorde pas grande importance à son habillement, Paul, un jour, lui reproche comme une avarice de ne pas plus se soucier de ses vêtements, de s'en payer si peu de neufs.

– Et toi, c'est par avarice que tu n'achètes pas d'héroïne ? réplique Perrin.

À chacun ses plaisirs que les autres n'ont pas à juger et il est agacé que Paul, esprit si indépendant, trouve les conventions bienvenues quand il s'agit de les lui opposer. Le problème est que la réserve de Paul ne s'applique pas envers les drogues en général mais l'héroïne en particulier – ce n'est pas si mal vu. Perrin soupçonne Paul de ne pas avoir lésiné sur le LSD avant de l'avoir connu et d'avoir juste atteint une sobriété plus en accord avec son âge. Au demeurant, c'est bien à lui que Paul s'adresse quand il a besoin de cocaïne pour attirer un amant compliqué qui, sans cet appât, a tendance à demeurer à une distance exagérée. Car l'héroïne a ouvert les vannes et Paul a compris que toutes les drogues dont Perrin se préservait par prudence et légalisme, soudain celui-ci ne voit plus de raison de ne pas les tester.

Paul n'a pas plus de problème avec la coke qu'avec l'héroïne : ne l'achetant pas pour lui mais pour la partager avec son amoureux, il n'a aucune envie de la dépenser sans celui-ci et se montre donc d'une sagesse inflexible. Perrin non plus n'est pas tourmenté par elle : parfois elle le fait saigner du nez, au risque de compromettre les prises d'héroïne par cet orifice, de sorte qu'il s'en éloigne sans mal. Elle lui fait trop battre le cœur, il est obligé d'en rajouter sur l'héroïne pour freiner ses palpitations. C'est une mauvaise économie que celle qui fait prendre le poison et son remède pour en revenir au point de départ même s'il y a un charme à voir l'héroïne comme le moyen de sa guérison, cette héroïne que Paul ne réclame jamais quoiqu'il soit arrivé à Perrin, des soirs où il les voyait tous les deux, d'en offrir à l'amoureux compliqué de son meilleur ami à qui c'était somme toute une manière d'en donner.

Perrin ni Paul ne se sont jamais renseignés, jamais l'un n'a demandé à l'autre pourquoi il ne prenait pas d'héroïne ni l'autre à l'un pourquoi il en prenait – peut-être que chacun a peur que l'autre ait un bon mobile.

*

Pendant des vacances, un amant new-yorkais a fait découvrir à Perrin une nouvelle drogue. Il paraît que, à l'origine, c'était juste une molécule médicale utilisée pour rapprocher les vieux couples. L'effet est celui d'une sorte de LSD sexuel, toute zone du corps devient puissamment érogène et ce sont des heures de baise où l'éjaculation n'est pas favorisée mais où les instants merveilleux s'accumulent comme jamais, comme si soudain ils étaient la norme – l'évidence de vivre des moments privilégiés éclate de partout. On ne parle pas d'accoutumance, d'effets secondaires autres que la fatigue une fois que les effets de la prise s'estompent. Il semble à Perrin que c'est là le meilleur de la drogue, tous les avantages et aucun inconvénient. Son amant lui dit que ça s'appelle le MDMA, qu'on appelle aussi ça l'ecstasy même si c'est après une transformation chimique qui en aplanira le caractère hautement sexuel qu'il prendra ce nom en Europe.

Au sortir de son expérience, Perrin a envie de la faire partager à ceux qu'il aime, qu'eux aussi connaissent au moins une fois avec leurs amantes et amants cette façon toute neuve de faire l'amour à laquelle, malgré tout leur amour et désir éventuels, ils n'auront sinon jamais accès. Selon les moments et les produits, la drogue exacerbe autant la générosité que l'égoïsme. Il a donc l'idée d'en rapporter en France. Son amant fait une commande substantielle tandis que Perrin se contente d'acheter un gros flacon de capsules de vitamines dans le premier drugstore venu. Après quoi, une fois l'amant livré, ils se retrouvent tous les deux assis devant une grande table dans le petit appartement new-yorkais où ils ont passé des heures et des heures sans s'éloigner l'un de l'autre de plus de trois centimètres pour leur plus grand plaisir commun. Ils ont déversé tout le contenu des cinquante capsules de MDMA (c'est-à-dire vingt-cinq prises, puisque ça n'aurait pas de sens d'en avaler tout seul et que Perrin n'a le projet d'en offrir que par paires) sur la table où ça commence à faire une sérieuse colline. Ils ont vidé dans le lavabo les capsules de vitamines et s'emploient maintenant à remplir ces capsules vides de MDMA pour passer la douane sans problème. Comme cette drogue lui est inconnue, Perrin s'imagine en plus qu'elle est indétectable : on ne va pas exercer des chiens à flairer quelque chose qui n'existe pas – et même si des douaniers la repéraient, que feraient-ils d'une poudre qui n'est ni héroïne ni cocaïne ?

Il a beau considérer cet ecstasy comme tellement la crème des drogues que ce n'en serait même pas une, quelque chose gêne Perrin dans cet amoncellement de matière interdite jumelé à la méticulosité que réclame l'opération de remplissage des capsules. D'une façon ou d'une autre, se donner ce mal est un investissement de drogué, ainsi que prendre ce risque du contrôle aux frontières, même s'il s'emploie à le minimiser.

De retour à Paris, il diffuse donc par deux sa nouvelle découverte auprès de tous ses amis, la leur vantant de telle manière que tous ont hâte d'en prendre. Aucun n'est déçu, et surtout pas Paul. Auprès de lui aussi, Perrin en a fait une publicité si efficace que son ami a surmonté toute prévention, y voyant un moyen de simplifier au moins pour quelques heures sa relation avec son amoureux trop distant, l'attirant sans rémission. Et quand Paul le remercie pour la soirée magique, Perrin, toujours à l'affût de ce qui devrait relever la réputation des drogues, soupçonne que des amis de la santé publique pourraient voir une sorte de prostitution dans ce moment de la relation entre Paul et son amoureux compliqué. Mais la prostitution repose sur l'intérêt différent de chacun des participants à l'acte sexuel, la jouissance pour l'un et la rentabilité financière pour l'autre. Dans ce cas précis, le seul bénéfice que tire son amoureux compliqué à faire l'amour avec Paul est que ça lui est extraordinairement agréable. Ce n'est pas de la prostitution mais la plus noble des communautés. C'est l'amour même, une prostitution où tapin et micheton partagent le même intérêt, trouvant le même bonheur.

*

Lucien passe chez lui chercher deux nouveaux comprimés magiques un après-midi où Perrin se trouve déjà recéler un large éventail de produits. Héroïne, cocaïne, ils sont bien partis quand Lucien lui demande s'il a déjà pris de l'ecstasy avec une autre drogue. Non, l'idée est tentante, un instant. C'est-à-dire qu'à peine ont-ils ingurgité leur gélule que Perrin se demande si c'était une si goûteuse initiative. Ils n'ont jamais fait l'amour ensemble durant toutes ces décennies, de là à conclure qu'au fond ils n'en meurent pas d'envie. D'ailleurs, ça ne se pose pas, pour commencer. Ils ne font que parler, être ensemblc, et ça suffit pour être bien. Puis ça ne suffit plus à Perrin.

La baise est tellement attachée à l'ecstasy qu'il y a quelque chose d'inadéquat à ne pas en profiter. Il est mû par un désir plus psychologique que physique : lui vient à l'esprit que ça fait des années que Lucien veut faire l'amour avec lui, qu'il ne s'en était jamais rendu compte mais que, maintenant que l'érotisme est si présent dans la pièce, il est impossible de ne pas le remarquer. Il est allongé sur son canapé parce que c'est ainsi qu'il est le mieux avec tout ce qui lui coule dans le sang et, soudain, il a un petit geste pour inviter Lucien à l'y rejoindre. Il n'a pas une vraie envie de faire l'amour avec lui mais, comme ça, ce sera fait. Car Perrin a l'idée que c'est cet acte qui manque pour que leur amitié grimpe encore à un stade supérieur, jamais atteint malgré toutes ces décennies de proximité, ces années d'héroïnomanie conjointe. Il a tellement l'idée de la drogue comme adjuvant à l'affection que ça lui paraît naturel de profiter à fond de chaque ouverture. Il ne voit pourtant pas comme des plaisirs embrasser ce visage, caresser ce corps, atteindre ces parties cachées.

Ça ne se pose pas. Lucien a une réponse orgueilleuse au geste incitateur de Perrin. C'est un « Quoi? » trop sec, un regard trop noir, de sorte que Perrin n'y voit que de l'amour-propre, comme s'il avait tellement mal engagé l'affaire avec son geste trop désinvolte que ce refus ne disait rien du désir ou nondésir. Perrin est plutôt soulagé malgré son orgueil attaqué par l'épisode, en vérité moins mal à l'aise de la rebuffade qu'il ne l'aurait été d'une acceptation enthousiaste, la baise désincarnée n'est plus son fort. Juste, ce ne sera pas son meilleur ecstasy : il n'aurait jamais dû en prendre avec Lucien ni en orienter le cours de cette mauvaise manière. Dans sa sexualité avec l'héroïne, il se demande parfois si l'humiliation est un fantasme naturel ou un effet de l'incapacité. Y a-t-il d'autres choix que le masochisme quand il est en pleine intoxication volontaire? Le mauvais masochisme serait de se poser ces questions quand il est sous l'effet de la poudre (et il est toujours sous l'effet de sa présence ou de son absence). Puisqu'il prend de l'héroïne pour ne pas se tourmenter, il ne va pas se tourmenter avec elle. Mais là, les effets de l'héroïne étaient imperceptibles, noyés dans ceux de l'ecstasy. Là, il est allé à la recherche de l'humiliation qu'aurait constituée n'importe quelle réponse de Lucien, il a construit de toutes pièces une situation désagréable. Et avec de si gros sabots. Comme si le sexe était une abstraction et que, dans ces conditions, s'en dépatouiller était un exploit demandant des connaissances théoriques sophistiquées.

À sa manière brutale, Paul lui racontera comment ça s'est passé, quand il voulait de la coke et que Perrin ne la lui a pas fournie. Il a donc demandé à Lucien. Or celui-ci est amoureux de Paul, ainsi que Perrin l'apprend par ce récit. « Physiquement, il me dégoûte », ajoute Paul, exprimant en peu de mots la non-réciprocité. Mais Lucien est heureux de tout ce qui le met en rapport avec Paul, a fortiori s'il s'agit de lui rendre un service dont Paul n'aura certes pas à lui être redevable – l'amour aussi aiguise les sentiments moraux – mais qui n'en aura pas moins été rendu. D'ailleurs, pour ses nouvelles commandes, Paul s'adressera directement à Lucien. Il n'a aucun scrupule à effectuer sa démarche et obtenir le produit qui lui permettra de mener grande vie avec son véritable amoureux. Il voit Lucien comme un ami, pas comme un dealer et surtout pas comme un amour. Il suffit de lui être reconnaissant en son for intérieur, sans parole ni action superflues. Quant à Lucien, il est fier de pouvoir aider Paul ; ainsi, il ne l'aime pas pour rien. Et il semble à Perrin que l'épisode amoureux de Paul a à voir avec le sien, comme si Lucien, pour une raison ou pour une raison inverse, était celui avec qui rien n'était possible – que l'héroïne ni la cocaïne ou l'ecstasy n'y changeaient rien, qu'aucune drogue ne pouvait attenter à la personnalité fondamentale de qui que ce soit, ce qui est à la fois rassurant et décevant.

*

Peu à peu, ça périclite, la relation ou Lucien lui-même. Des détails, au début : il est de plus en plus maniaque, exprime de plus en plus son agacement quand est contrariée la moindre de ses obsessions (ne pas poser son verre sur le bois impeccable de son bureau comme un sans-gêne, ne pas marcher sur le tapis avec ses chaussures qui viennent de la rue comme un dégueulasse, ne pas ouvrir un livre en en cassant la tranche comme un boucher). Moins il se surveille et plus il surveille les autres. Un jour que Lucien théorise les bienfaits de l'héroïne avec un raisonnement intoxiqué par le produit, Perrin lui demande s'il ne serait pas bon de stopper un moment la consommation, les mots mêmes qui l'exaspèrent quand c'est à lui qu'on les adresse. Il a le sentiment que ce n'est pas pareil quand le conseilleur est une personne saine parlant du haut de sa santé et quand c'est un consommateur. Malgré les subtilités auxquelles accoutume l'héroïne, Lucien n'a pas l'air de faire la différence. Il est furieux, envoie au diable Perrin qui accepte la réprimande avec indifférence, un peu aussi comme le signe qu'elle était justifiée, et n'a pas à se poser la question de son problème à lui tant celui de Lucien lui apparaît plus grave.

Ils voient bien, pourtant, qu'il faut faire quelque chose, éviter de se laisser engloutir par ce qu'ils engloutissent. À l'occasion, ils décident d'arrêter quelques jours, une semaine, histoire de se montrer que ce n'est pas une tâche inaccessible. Or, si Perrin parvient à s'y tenir sans plus d'inconvénient – c'est déjà sévère – qu'un mauvais état physique et une absolue détresse psychologique, Lucien a une réaction physiologique qui l'amène à vomir à foison, lui interdisant toute vie professionnelle. Il appelle donc son ami au secours pour le fournir, lui-même ne pouvant se déplacer, ce qui agace Perrin dont les efforts sont ainsi contrecarrés (il ne va pas se déplacer pour ne rien acheter pour lui) et le réconforte pour la même raison, le justifiant de faire cesser cette petite expérience de manque. Au demeurant, Perrin la mène plusieurs fois à son terme, quand il est invité dans des colloques à l'étranger et y part sans munitions. Il ne doit pas être un très bon compagnon sur place mais en revient plus fringant. Il y aurait mille raisons de ne pas retomber dedans mais sa capacité à arrêter est aussi un mobile pour s'y remettre : son problème avec l'héroïne, c'est qu'il ne peut pas stopper une fois qu'il a commencé. Mais s'il peut, pourquoi ne pas recommencer ? À quoi sert d'arrêter s'il en est capable ? Et s'il ne peut pas, il est bien forcé de continuer, c'est clair comme du M. de La Palice.

L'argent sanctionne leur éloignement. Perrin, ayant réussi ses concours, a vite trouvé un boulot et est le plus riche entre les amis de son âge. À part Lucien, le seul dont la famille soit plus aisée que la sienne et qui a trouvé un boulot mieux rémunéré avant lui. De sorte que Perrin est déstabilisé lorsque l'autre lui dit avoir besoin d'argent. Il répond à la demande mais, pour cette fois, dans son esprit, un prêt est un prêt, pas une avance à fonds perdus comme avec ses autres amis. Un seul mobile lui paraît expliquer les dépenses excessives de Lucien, l'héroïne, et ça ne lui plaît pas. Parce qu'on n'aime pas voir un ami sombrer, et parce qu'on n'aime pas qu'il trace la route. Au fil des mois, il n'est plus jamais question de cette somme, si bien que, un jour, Perrin croit nécessaire de l'évoquer, qu'il n'y ait pas de malentendu. La réponse de Lucien se veut cinglante pour le punir de s'être abaissé à cette réclamation : « J'ai prêté de l'argent à des amis, bien sûr pas une somme aussi importante que celle que tu m'as avancée, mais jamais il ne me viendrait en tête d'exiger un remboursement. » Perrin, qui n'a rien exigé, est estomaqué. Il voit bien que son ami ne dit cela que parce qu'il place l'amitié si haut, pour elle c'est la moindre des choses. Lui saute cependant aussi aux yeux que si c'est seulement son argent à lui qui circule, la générosité de Lucien est moins éclatante, et il est surpris que son si délicat ami ne s'en rende pas compte.

Perrin est informé des ragots sur l'héroïne circulant chez ceux qui n'y connaissent rien, les bassesses, la délinquance où elle conduirait. En initié, il sait qu'au contraire la poudre affine pour le mieux les perceptions sentimentales et morales. Ça l'agace que les autres croient savoir ce qui va arriver à quelqu'un qui en prend alors qu'il y a une inaliénable individualité de l'utilisateur : ainsi qu'un écrivain écrit son livre parmi tous les livres, l'héroïnomane crée sa chute parmi toutes les chutes et certaines conduisent à des sommets. Mais l'imagination est une chose et la réalité de la conduite une autre, et Perrin semble le constater pour la première fois, comme s'il n'avait jamais regardé la télévision ni eu connaissance de la moindre agression, comme si c'était seulement de ce jour qu'il saisissait que l'héroïne est susceptible d'être dangereuse. Soudain, tout ce qui paraît rapprocher Lucien de la déchéance l'angoisse comme si c'était lui que ça en rapprochait. Quoique la déchéance ait sûrement son charme dont l'héroïne rend curieux du goût, il préférerait être moins bien informé – ainsi que tu as tout intérêt à ne pas chercher à savoir pour qui sonne le glas, puisque c'est pour toi.

L'héroïne est prodigue de ces coïncidences : juste quand sa relation avec Lucien s'éteint, Perrin rencontre un nouvel ami pour qui la poudre n'a pas de secret. Très vite, il est proche de Charles et sa copine Anna. C'est la première fois qu'il a un ami de son âge dans l'héroïne jusqu'au cou, qui se pique depuis des années sans avoir à se cacher de sa compagne, la drogue étant partie intégrante de leur lien. Souvent, il reste des heures chez eux quand il vient récupérer la marchandise. Tous les trois deviennent intimes sans se révéler grand-chose de leur vie, leur présence commune dans cet état suffit à les rapprocher. Au demeurant, mis à part la poudre qui les grignote, leurs vies ne regorgent pas d'aventures passionnantes. L'héroïne est une intimité à elle toute seule. Il est évident que c'est l'unique enfant qu'Anna et Charles auront ensemble.

Il y a alors déjà longtemps que Perrin fait des économies en ne partageant plus forcément avec Bruno, en prenant sa drogue tout seul dès le début d'après-midi ou en n'en proposant plus quand il voit son ami à dîner. Sur ce dernier point, être plus généreux équivaudrait à se dénoncer, à manifester qu'il est passé à un rythme supérieur, n'arrête plus d'en prendre sans que le prix interfère. Et de fait il n'arrête plus d'en prendre, à n'importe quelle heure, tant qu'il en a, parce qu'il a toujours ça à faire quand il n'a rien à faire et qu'il n'a souvent rien de mieux à faire s'il sélectionne les activités au plaisir qu'elles lui procurent. L'héroïne est une bonne raison de se lever le matin.

Souvent aussi, Charles est seul dans le petit deux-pièces quand Perrin vient chercher son paquet. Son ami ne gagne guère d'argent, quelques rares remplacements dans des collèges dont Perrin se demande comment il parvient à les assurer. Parfois, il reste assis en face de Charles sans qu'ils se disent un mot et l'autre est si immobile qu'il arrive à Perrin de voir sa cigarette se consumer entièrement sans qu'une seule cendre tombe, ne demeure plus que le filtre et la totalité des cendres encore liées, il ignorait que c'était possible. Chez lui, Perrin a aussi ses moments où il ne décolle pas d'une chaise ou de son lit, et d'autres où au contraire il marche de long en large, l'esprit animé, plein de perspectives émouvantes qu'il ne mettra pas en œuvre. Il craint parfois d'agacer ses voisins du dessous mais sa voisine lui dira, des années plus tard, combien elle était rassurée de l'entendre ainsi tout le temps où elle était enceinte, séparée de son mari contraint aux horaires de bureau tous les après-midi, que ça lui faisait une présence qu'elle sentait protectrice. Un bienfait supplémentaire au crédit de l'héroïne.

Perrin ne se demande pas d'où Charles et Anna tirent les fonds pour se fournir, tout commerce avec eux deviendra insupportable s'il commence à être méfiant. Il suppose que l'adjonction de sa propre commande peut les aider à être mieux servis, tant mieux pour eux, et ça ne va pas plus loin. L'argent est un sujet à ne pas trop explorer, une pudeur de tous les héroïnomanes. Avec les dealers, soit, on peut mettre en scène sa pauvreté ou sa richesse réelle ou mensongère mais, entre pratiquants, ce serait avouer être tombé du mauvais côté de la poudre que reconnaître se débattre avec des dettes, ce serait perdre ses amis que les initier de trop près à sa situation financière. C'est en tant que propriétaire de son bel appartement que Lucien a pu le faire, parce qu'il ne risquait pas la faillite, et ça a mal tourné quand même. Entre compagnons, les problèmes financiers des uns annoncent les problèmes financiers des autres. C'est un gouffre où qui n'est pas tombé tombera, un sale spectacle qu'il faut soit garder perpétuellement en tête pour avoir une raison supplémentaire de décrocher, soit effacer de son esprit afin de demeurer sereinement accroché.

Perrin est un consommateur régulier, à divers sens du terme. Il en prend tous les jours mais a comme un budget inconscient qu'il s'efforce de ne pas dépasser afin de ne pas mettre en péril son mode de vie, se limitant certains jours pour s'en donner à cœur joie d'autres mais sans passer, dans la mesure du possible, par la case manque. Il parvient à garder toujours un peu d'avance, pour ne pas être trop pris de court si son dealer se révèle injoignable ou à sec. Il tâche de conserver une toxicomanie bourgeoise où l'héroïne ne l'empêcherait pas de tenir sa place dans son milieu. Il demande un jour à Bruno comment il s'y est pris pour ne pas être tombé dedans et son ami lui répond que c'est l'argent qui le lui a interdit, qu'il n'avait pas les moyens d'être toxicomane.

– Mais tu aurais pu dealer, voler, comme tout le monde fait ?

– Je ne me suis jamais senti de sauter ce pas.

Perrin préfère que la question ne se pose pas pour lui.

Toujours est-il qu'il a en permanence sa petite réserve à domicile et que Charles le sait si bien qu'il leur arrive, à Anna et lui, de passer chez Perrin quand ils sont en rupture de stock. Une fois, le couple vient à trois, avec un ami inconnu, pour un dépannage généralisé et Perrin est enchanté d'être capable d'y pourvoir, faisant éclater ses qualités de planificateur généreux. Il est heureux de la surprise de l'ami devant cette manne inespérée. Il refuse d'être payé pour ce service, estimant qu'offrir quelques dixièmes de gramme lui est moins coûteux que la dilapidation de ses réserves dont quelques billets ne couvriraient pas le coût, moins généreux qu'il n'en a l'air mais ces délicates arguties font l'affaire de ceux qui se contentent de ne pas payer. Il donne sans s'attendre le moment venu à la réciproque – c'est un trait de son caractère qui l'agace. Ça lui plaît cependant d'être un héroïnomane pas comme les autres, signe que ça ne doit pas trop lui plaire d'être un héroïnomane.

Charles le met sur un coup. Perrin a un ami disposant d'une camionnette et qui, afin de rendre lui-même service à un ami, va chercher pour lui chez un antiquaire de Rotterdam des meubles déjà payés, lesquels, ainsi, ne seront pas transportés à un prix exorbitant. Son ami lui a proposé de l'accompagner et Perrin a accepté volontiers car un voyage aux Pays-Bas n'est jamais à dédaigner, la drogue est moins maltraitée, là-bas.

Il en parle à Charles qui lui dit qu'il a une adresse et un numéro de téléphone à Rotterdam, un dealer qui ne se contente pas de travailler sur l'herbe et le shit. Une fois les meubles chargés, Perrin et son ami sont tout excités d'aller au rendez-vous illégal. Le type n'est ni sympathique ni antipathique, c'est une simple transaction comme avec l'antiquaire et les deux acheteurs partent passer la nuit dans un hôtel d'Amsterdam d'où ils rentrent à Paris le lendemain. Ils étaient dans un état à rendre la soirée très agréable et ils ont de quoi ne pas s'ennuyer encore pendant le voyage du retour. La douane volante les inquiète plus.

C'est la première fois que Perrin passe ce cap. Sa petite réserve à domicile, elle sera multipliée dans des proportions considérables si la marchandise parvient sans encombre jusque chez lui. Mais ce ne sera possible que si elle est cachée, en cas de contrôle. Alors il fait comme on raconte que tout le monde fait. Il remplit une capote d'héroïne et de cocaïne – parce qu'il en a pris aussi, tout était si simple que ç'aurait été gâcher que se priver –, y fait un nœud et se l'introduit dans l'anus. Articles, films et romans l'ont familiarisé avec cette manière de faire mais, généralement, les personnages qui agissent ainsi sont des drogués, des passeurs ou des trafiquants. Tout le contraire de lui, dirait-il.

Comme avec les ecstasys new-yorkais, il se retrouve en possession d'une quantité déraisonnable de substances. Il n'arrive pas à croire qu'il sera pris alors qu'il n'est pas un trafiquant mais il voit bien le problème si ça arrive, surtout avec ces produits que tous les douaniers du monde recherchent en priorité. Peu de risques avec ces précautions mais ce seront des ennuis d'envergure si ça tourne mal. Ne faut-il pas être un peu drogué pour transporter tant de drogue sur soi? Ce qu'il a entre les fesses dépasse sa consommation personnelle.

Le voyage est gai grâce à l'héroïne et la cocaïne consommées et cependant anxiogène à cause de la poudre qui reste en réserve. Rien n'arrive et Perrin se retrouve vite dans ses toilettes à récupérer le plus proprement possible ses matières précieuses. Il est soulagé comme après un bon coup.

Un mois plus tard, alors qu'il est venu à bout plus tôt que prévu de son stock – à quoi bon se modérer quand il n'y a pas de raison ? –, Charles lui reproche de ne rien lui avoir offert en échange de l'obtention de l'adresse à Rotterdam. « C'est l'usage dans le milieu de donner deux grammes pour dix grammes, alors en plus à un ami. » Perrin, désolé, plaide qu'il ne connaît pas le milieu ni ses usages, qu'il regrette de ne rien avoir rétrocédé mais que c'est justement par amitié, parce qu'ils n'ont pas du tout des relations comme avec un dealer, de même que l'usage n'est pas de dépanner comme il a l'habitude de faire. Ils discutent sans se disputer, marchandent moralement, c'est une tension.

Quand ils finissent par se fâcher pour de bon, à ne plus se revoir, Perrin vient comme par hasard de rencontrer Lusiau, nouvel ami qui a profité de la livraison miraculeuse et avec qui c'est la *dolce vita*.

En entrant chez Youssef, Perrin tombe sur Pierre Étienne qu'il n'a pas vu depuis quinze ans, quand l'autre était un enfant, le frère cadet de son premier petit copain. Puis Perrin et ce petit copain se sont perdus de vue, a fortiori le frère cadet. Mais ils se reconnaissent immédiatement. Ils n'en reviennent pas, n'explicitant pas si la coïncidence est de prendre tous les deux de l'héroïne ou de se fournir chez le même dealer. Elle est de se retrouver, comme s'ils allaient renouer une relation interrompue alors qu'en réalité ils n'ont jamais été liés.

Vite, ils sont amis. Pierre Étienne a sept ans de moins que Perrin, un gouffre quand ils étaient tout jeunes, rien de significatif aujourd'hui. D'autant que, dans l'héroïne, Pierre Étienne est l'aîné, depuis le temps qu'il est dedans avec une envergure encore inconnue à Perrin. Pierre Étienne est admiratif du commerce que Perrin parvient à entretenir avec elle. Quand ils tombent l'un sur l'autre, Perrin est encore un dilettante sachant rester raisonnable, suscitant l'envie de Pierre Étienne qui n'a jamais vu un héroïnomane garder ainsi ses distances avec son produit. Et quand Perrin plonge dans le professionnalisme, il n'est quand même pas assez intime avec Pierre Étienne pour ne pas pouvoir le lui cacher, conservant son respect. Car l'ancien petit frère n'est pas de ceux qui justifient la prise d'héroïne par quoi que ce soit d'autre que la prise elle-même, par la nécessité. Il n'est nullement en adéquation avec son produit, ne souhaite rien tant que s'en débarrasser.

Au fond, Perrin est habitué à l'infaillible conclusion des discussions d'héroïnomanes sur les avantages et inconvénients de leur passion : elles peuvent durer des heures, chacun apportant son petit sachet à l'argumentation, si tout à coup l'un des deux dit qu'il veut arrêter, l'autre comprend illico. En tant que telle, l'héroïne n'est jamais glorifiée que par des pratiquants : personne n'en fait la publicité sans s'autoriser à en prendre. Perrin est cependant déconcerté par un héroïnomane qui ne veut plus de l'héroïne : il comprend très bien mais il n'aimerait pas que ça lui arrive, se retrouver dans cette situation où on est réduit au courage. Ça lui rappelle la fois où, ayant trouvé un compagnon parfait pour ses perversions démesurées lors d'une séance d'amour au téléphone, celui-ci, jouissance faite, lui avait dit : « Quand même, on ferait peut-être bien de se soigner, c'est trop malsain, ce fantasme. » Perrin avait été outré de cette trahison, comme s'il y avait une hiérarchie des fantasmes où le leur serait trop mal noté, et peut-être bien, en effet. Mais bon, que Pierre Étienne renonce, s'il veut – il n'en prend pas le chemin. Il zone. La musique est sa passion mais il peine à en faire un gagne-pain, il a du mal à ce que l'héroïne ne s'impose pas comme sa passion principale. Elle l'aiderait à composer. Elle l'aide à vivre et à ne pas vivre, c'est pareil pour tout le monde.

Un jour, après des années, Pierre Étienne débarque chez Perrin et lui annonce que c'est fait, il arrête. Il a déjà vu des gens à l'hôpital, son sevrage commence demain. Mais demain est encore loin. En attendant, Pierre Étienne s'octroie tous les droits dont il va être privé. Il s'enferme aux toilettes pour se piquer et en ressort abruti, puis y retourne une heure plus tard et en ressort encore plus abruti, puis y retourne encore et en ressort à deux doigts du malaise si ce n'est pire. Perrin est paniqué : Pierre Étienne est comme un enfant gourmand qui doit arrêter le chocolat le lendemain et qui s'en bourre en attendant au risque de l'indigestion, comme s'il voulait s'en dégoûter ou que, au contraire, la quantité prise en un seul jour l'aide à passer les années suivantes. Comme si arrêter était sa décision dont, au fond, il ne voulait pas. Perrin ne peut pas se reconnaître en lui, ce serait un aveu masochiste et mensonger. Il se sent en revanche libre d'estimer que lui a encore de la marge, que si c'est parfait de vouloir arrêter l'héroïne quand elle vous a mené là, rien d'urgent ne se pose pour lui qui n'en est encore qu'ici. Et c'est d'autant mieux que Pierre Étienne arrête que, une fois de plus, c'est la preuve qu'on peut le faire, que donc lui aussi le moment venu, même si, pour l'instant, Pierre Étienne n'a pas encore mené son sevrage à terme. Il est juste en train de réussir la phase inverse par laquelle il juge nécessaire de le faire précéder, le gavage.

Pierre Étienne à deux doigts du malaise ou de la crise cardiaque au sortir de ses chiottes, c'est pour Perrin l'image même de la vie et de la mort : tout à coup, l'overdose n'est pas une erreur de dosage mais un effet automatique de cette contrainte angoissée qui demande toujours plus. C'est la version spectaculaire et irrémédiable du suicide que la raison commande à l'héroïnomane de n'effectuer que délicatement, comme si elle était la vérité d'un jeu qui effrayait les petits joueurs dont la présence est donc usurpée dans cette cour des grands. L'overdose, c'est le mieux soudain ennemi du bien alors que l'héroïne est la perpétuelle recherche du mieux à tout prix. « – Comment avez-vous fait faillite? demande Bill. – De deux manières, dit Mike. Graduellement, puis d'un seul coup. » Comme si ce dialogue d'Hemingway disait la vérité de toute banqueroute. Qui croit que l'économie d'une vie se gère en bon père de famille, qu'il y a des améliorations à dédaigner par sécurité, que la chose à faire est de ne pas reprendre de dessert pour éviter à tout prix de grossir heureux, l'embonpoint tellement plus problématique que le bonheur n'est réjouissant ? L'héroïne appelle l'héroïne et il y a bien la ligne jaune à ne pas dépasser et cependant à approcher du plus près possible, au risque de l'addiction, de l'imprudence, parce qu'à quoi ça sert d'avoir commencé si on n'est pas prêt à continuer ? Il faudrait calculer l'utilité du plaisir. Et puis le cœur de Pierre Étienne tient, en définitive il a bien mesuré l'héroïne, son organisme ne l'a pas déçu. Le lendemain, il est à l'hôpital pour commencer son programme, d'abord une sorte de cure de transit avant qu'on l'expédie deux ans dans un coin perdu du Midwest effectuer des travaux de force, camionneur, terrassier. À son retour, sa première idée ne sera pas de reprendre contact avec Perrin.

*

Lusiau appelle le 11 septembre.

– C'est Lusiau. Tu as vu ?

Or Perrin est dans un sale état. Il voulait se distraire de l'angoisse inhérente au manque en traînant comme une loque devant la télé mais le programme inattendu l'enfonce dans son malaise. Au bout d'un moment, il préfère s'allonger sur son lit que continuer à suivre de telles informations. Il rêvasse, somnolence poisseuse et inconfortable mais qui vaut toujours mieux que la veille absolue. C'est à ce moment que le téléphone sonne, le ramenant à la réalité.

– Bien sûr que j'ai vu, dit-il sèchement, ne laissant pas la conversation se poursuivre.

– Le ton sur lequel tu m'as parlé, je n'oserais pas parler comme ça au dernier des pique-assiettes, lui dit le lendemain Lusiau qui se moque de cette race de parasites à chacun des vernissages de sa galerie.

Et c'est vrai que l'absence d'héroïne est souvent sévère pour ses nerfs, l'apaisement qu'elle procure étant une des raisons pour lesquelles Perrin en prend. Le fait est que sa présence a parfois le même effet. Perrin trouve que ce n'est pas trop gênant dans la mesure où il sait que, quand il est énervé, c'est à cause de ça et cette connaissance l'aide à se maîtriser. Le problème, c'est quand il ne se rend pas compte qu'il est énervé, tellement il l'est alors naturellement.

Le mois suivant, alors qu'il doit prendre l'avion en tout début d'après-midi pour rejoindre son amoureux en Tunisie, il se souvient soudain qu'il a oublié de faire une course. Il se précipite et y parvient en un temps raisonnable. Il ne lui reste plus qu'à rentrer chez lui finir son sac avant de partir à l'aéroport. D'abord, il n'en trouve pas puis si, un taxi. Le chauffeur parle, parle, ça n'intéresse absolument pas Perrin. Il est à fleur de peau, tout l'agace.

Il préférerait que l'autre se concentre à ne pas être le premier véhicule arrêté à chaque feu rouge. C'est samedi, il n'y a pas d'encombrement mais, en arrivant dans sa rue, une voiture est mal garée, rendant le passage difficile. Le chauffeur se faufile quand même sans arrêter de parler, il ne se sera pas tu une seconde de tout le trajet. Ils sont arrivés et Perrin, qui n'écoutait pas, comprend soudain en payant que c'est contre lui que se déroule maintenant le monologue. Le chauffeur sort en même temps que lui mais pour aller vérifier son aile gauche et oui, ça n'a pas raté, il ne s'est pas si bien faufilé que ça et son véhicule en porte la marque. Et, alors que Perrin n'y comprend rien et s'en fiche, pour le taxi cette altération est une catastrophe – l'équivalent, pour Perrin, de sa réserve évaporée, comme si le manque le touchait au cœur d'une période crue d'abondance. Le chauffeur est indigné d'un client si peu spontanément compatissant et tient à le faire savoir.

– Vous êtes peut-être un avocat ou un professeur mais vous n'êtes pas quelqu'un de bien, crie-t-il pour que les passants et les habitants de la rue sachent quel individu elle abrite.

Perrin n'y repense que dans l'avion qu'il n'a pas raté, il est désolé mais il ne peut rien y faire. Au diable, les chauffeurs de taxi qui ne connaissent rien à l'héroïne, dans les oubliettes de l'Histoire.

*

Enfant, Perrin adorait les albums de Lucky Luke. Il les a lus et relus et les connaissait si bien que c'était un charme supplémentaire mais aussi un défaut car la surprise et la nouveauté sont des plaisirs qu'aucun autre n'égale, sans quoi personne n'essaierait jamais de décrocher de l'héroïne. Une nuit, il a rêvé d'une aventure inédite du cow-boy pas si solitaire que ça puisqu'il a un foyer dans le cœur de Perrin – en un mot, il en a inventé une. Non seulement il s'en souvient à son réveil mais cette sensation l'accompagne au fil des mois et des années, toute son adolescence, ce sentiment qu'il y a un album de Lucky Luke qu'il n'a lu qu'une fois et ce n'était pas lire, un album qu'il n'a plus sous la main. Car ce dont il se souvient n'est pas l'aventure elle-même mais ce qu'elle lui a procuré, une joie qui se révèle ensuite inaccessible. Cette histoire n'était pas la plus drôle de Lucky Luke (pas drôle du tout, en fait, simplement émouvante et vraie, quintessence de son lien à la série), mais c'était pourtant sa préférée, selon son souvenir. Il a lu un livre qui n'existait pas et ça lui semble cruel d'être empêché de le relire – le plus extraordinaire était de l'avoir créé, pourquoi est-il impossible de le recréer, moindre tâche a priori ? Par quelle malchance peut-il le plus et pas le moins ?

L'âge adulte lui propose une semblable aventure avec Flaubert. Il a déniché une vieille édition de ses *Œuvres complètes* où deux tomes sont consacrés aux *Voyages*, « France, Italie, Suisse » est sous-titré le premier, « Orient et Afrique » le second comprenant six cents pages qui ne sont pas massicotées, qu'il coupe au couteau puisqu'il n'a pas de coupe-papier, prenant garde de ne pas déchirer les pages avec une manœuvre maladroite comme si ce vieux papier faisait partie de l'œuvre même. Il aime parfois s'abrutir de lecture mais, en l'occurrence, il est tellement stone que déjà abruti avant de se plonger dans le récit ou journal de Flaubert en Égypte. Lui-même est déjà allé au Caire avec un amant, dans un voyage organisé, quelques années plus tôt. Il a oublié ses propres sensations sinon que Flaubert les lui remémore en rendant compte des siennes, Flaubert qui prétendait n'avoir rien remarqué, rien vécu durant son voyage et dont tout ce qu'il en écrit prouve le contraire.

Et, peu à peu, c'est plutôt comme si Perrin vivait à la lecture ce que raconte Flaubert, le transposant dans son voyage précédent mais en fait le vivant là, avec les pages sous les yeux et l'esprit en vadrouille, dans un embrouillamini chronologique et géographique, à la fois dans son fauteuil et en Égypte, au XIXe siècle et aujourd'hui, comme si la lecture rendait présent et différent son voyage d'il y a quelques années. Peu à peu, il ne lit plus, il a trop de mal à différencier ce qu'écrit Flaubert de ce que lui-même imagine, ressent. Peu à peu, c'est comme l'aventure de Lucky Luke, comme s'il lisait scrupuleusement, déchiffrait consciencieusement une hallucination durable. Il est éveillé mais somnolent et voit bien que ce qu'il a lu ou cru lire n'est en réalité imprimé nulle part, que Flaubert n'a jamais écrit son voyage à lui Perrin, même s'il conserve le sentiment qu'il en sait plus sur Flaubert que son collègue dix-neuviémiste, qu'il a eu entre les yeux, entre les oreilles, en plein dans son cerveau, un inédit dont personne ne soupçonne l'existence – laquelle, il est vrai, est sujette à caution pour qui n'a pas la chance d'être Perrin et bien aléatoire même pour lui. À y réfléchir, c'est comme si Flaubert était enrôlé sous la bannière de l'héroïne, devenant un paradis artificiel, personnel – un paradis à inventer soi-même et n'est-ce pas le propre de tous les véritables paradis ?

L'héroïne multiplie sa capacité à habiter les livres, à tellement se laisser contaminer que, le soir, envahi, pénétré, il écrit son journal dans le style de sa lecture du jour. S'en rendant compte, il trouve ça ridicule et touchant. Il est fait de la même matière que les rêves opiacés.

LA POLYGAMIE

Perrin est amoureux de Kei, ça se passe bien, alors il l'élit amour de sa vie. Ça leur convient à tous les deux – qui n'a pas besoin d'un amour de sa vie ? Ça manque quand on n'en a pas.

Il apprend à gérer l'amour. Ça se présente comme une économie : une passion, d'abord, et ensuite il faut juste faire avec. Gérer, pour commencer, c'est mentir. On croirait l'héroïne.

Il adore quand Jeanne Moreau chante le bonheur des mensonges, la preuve d'amour qu'ils sont (« Tant que tu me mentiras, c'est que tu tiens à moi »). Au tout début, pris dans les préjugés, il faisait la part belle à la vérité, que c'était la moindre des choses qu'il devait à son amour, a fortiori celui de sa vie. Mais Kei n'étant de toute évidence pas prêt pour un ménage à trois (la drogue n'est pas sa tasse de thé), la stratégie la plus commode consiste à lui cacher son amante en poudre. La commodité : elle aussi, tout le monde la bâtit à son image.

Kei arrive mercredi du Japon passer quinze jours à Paris pour le voir. Perrin souhaite avoir un peu d'héroïne d'avance, histoire d'être à l'aise; de toute façon, il n'en prendra pas des masses, assez pour être bien, pas trop pour rester sexuellement fonctionnel. Par malheur, quand il appelle le dimanche, Fayçal, son dealer, est à sec. Il rappelle le lundi, pas d'évolution. Pareil le mardi. Il devient urgent que ça change, l'incertitude est déjà un manque.

Lorsque Kei débarque chez lui, épuisé par le voyage mais heureux de le voir, Perrin est préoccupé par l'épuisement rapide de sa réserve. Les retrouvailles sont une joie, bien sûr, mais celles avec son produit de nouveau commercialisé en seraient une autre qui permettrait de mieux profiter de la première. Il faudra qu'il puisse s'isoler pour téléphoner encore, il a bien appelé en se réveillant mais les dealers sont rarement matinaux et il est tombé sur le répondeur.

– J'ai faim, lui dit Kei à qui il n'avait rien demandé et, comme il est l'heure de déjeuner, Perrin n'y coupe pas.

Il voudrait presser les choses mais le serveur est d'une lenteur extrême qui l'agace plus qu'il ne devrait montrer, alors que Kei est tout au plaisir de leur rencontre qui vient de lui coûter douze heures d'avion et comprend mal qu'un si simple désagrément prenne tant d'importance. Perrin se donne du mal pour sourire, pour être content. C'est trop bête, trop dommage : il aurait été si joyeux pour peu qu'il ait eu son rendez-vous la veille. Rien que ce déjeuner à deux aurait été un plaisir dont il se serait réjoui que l'incurie du serveur le prolonge. À un gramme près.

– Et si on allait au cinéma ? dit Kei. Le dernier Scorsese est sorti ici, non ? Tu l'as déjà vu ?

– Ah oui, dit Perrin sans enthousiasme. Non. Il faudra voir les horaires.

Il a peur que ça lui interdise tout rendez-vous si par bonheur Fayçal est renfloué.

Quand ils remontent chez lui, Perrin a un coup de fil à donner. Il le dit à Kei comme si c'était une obligation qui lui coûtait mais à laquelle il ne pouvait déroger, croyant mentir.

– C'est bon, dit Fayçal.

– O.K. dans une heure ?

– C'est bon.

Il a dit une heure alors qu'il n'y a qu'une demi-heure de métro par délicatesse envers Kei, pour ne pas avoir à le quitter trop abruptement. Il lui explique la situation en n'omettant que la nature du rendez-vous, qu'il est forcé d'y aller mais qu'il n'en a pas pour longtemps, il sera de retour dans moins de deux heures.

– C'est dans quel quartier ? dit Kei.

– Les Champs-Élysées, dit Perrin pour ne pas attirer les soupçons en évoquant Barbès.

– Ça ne te gêne pas si je vais voir le Scorsese sans toi ou tu as envie d'y aller aussi ? Parce qu'il y a une séance dans trois quarts d'heure.

– Pas de problème.

Au contraire, c'est l'idéal.

– C'est aux Champs-Élysées, comme ça on peut prendre le métro ensemble.

Perrin a le sentiment de s'être fait rouler. Il est énervé pendant tout le trajet qui n'est pas sa vraie direction, qui l'éloigne de Fayçal. Il lui faudra récupérer la ligne 2 à Étoile.

– Si tu vas jusqu'à Étoile, je vais t'accompagner, dit Kei. Ensuite, je descendrai les Champs-Élysées jusqu'à Franklin-Roosevelt, ça fera une agréable promenade.

– Mais je dois sortir à l'opposé, sur l'avenue de la Grande-Armée, dit Perrin qui espérait au moins être débarrassé de son amoureux pour prendre sa correspondance sans avoir encore à perdre du temps à sortir du métro.

– J'ai une bonne demi-heure, dit Kei. Ils indiquent le film vingt minutes après le début de la séance. Va pour l'avenue de la Grande-Armée.

Cette bienveillance est cauchemardesque. Son amoureux, de toute évidence, prend du plaisir à être avec lui – c'est pour ça qu'il est venu à Paris. « Mais ça ne signifie pas à chaque seconde », se dit Perrin tout en concédant au contradicteur de son for intérieur qu'il n'y a pas deux heures que

Kei est arrivé chez lui. En plus, il a peur d'être en retard et que Fayçal ait déjà tout écoulé, ça part vite après une période de pénurie qui rappelle aux plus imprévoyants la nécessité d'une réserve. Et, au lieu de se précipiter au ravitaillement comme tout le monde ferait, il est obligé de perdre son temps à faire la conversation à l'amour de sa vie, à se réjouir de sa présence dérangeante. Un seul gramme vous manque et tout est surpeuplé.

– Tu en as pour combien de temps ? dit Kei alors qu'ils marchent sur l'avenue de la Grande-Armée. Je vais t'attendre à un café, je peux très bien ne voir le Scorsese que demain.

Perrin est exaspéré que son soi-disant amoureux s'échine à lui mettre des bâtons dans les roues en ne lui laissant pas une seconde de libre. C'est l'amour qui est exaspérant, qui crée cette dépendance infernale. Pourquoi tout le monde n'a-t-il pas sa mesure à lui dans les rapports amoureux ? Et il est énervé contre Kei que celui-ci soit tellement dans son droit, que, bien sûr, si on entre dans le jeu de l'amour et de ses clichés, sa conduite soit tellement compréhensible, respectable. Comme un mari qui trompe sa femme ou une femme son mari, qui invente une histoire vraisemblable et l'autre pinaille. À quoi bon entrer dans les détails ? Ce n'est pas l'intérêt du trompé d'être humilié par la vérité – c'est pour lui qu'on ment.

– Ou déjà tu n'en peux plus de moi ? dit Kei face à cette accumulation de réponses distantes car Perrin n'a certes pas réagi au quart de tour.

Il se sent victime d'un paradoxe : si Kei savait qu'il fait tout ça pour de l'héroïne, il lui pardonnerait certainement mieux cette relative indifférence qui ne met en jeu aucun autre être humain ; mais lui-même fait tout pour que Kei ne le sache pas de crainte qu'il ne le lui pardonne pas. Kei ne pourrait-il pas au moins le laisser vaquer tranquillement à son addiction qui pose déjà assez de problèmes pour qu'on n'y ajoute pas celui-ci, complètement artificiel ?

Il est hors de lui quand son amoureux s'installe à une terrasse pour l'attendre et il n'a d'autre solution que marcher sur l'avenue puis tourner dans une rue perpendiculaire dans l'espoir vite exaucé de trouver un taxi. Perrin remonte l'avenue en voiture en tenant un journal à la hauteur de son visage pour que son profil soit invisible quand il passe aux abords du café, paniqué à l'idée d'être en retard chez Fayçal, que le dealer, pour il ne sait quelle raison, ne puisse plus le recevoir ou soit de nouveau à sec. Il se monte à chaque feu rouge avec cette sinistre éventualité, en voulant à Kei de l'avoir retardé pour rien, sans même la volonté d'être désagréable à laquelle il aurait au moins pu répliquer mais par pur amour. Chez Fayçal, pas la moindre remarque sur l'horaire, comme d'habitude. C'est pour l'argent que le dealer a du mal avec les retards, pour les êtres humains ça ne lui pose aucun problème.

Il se nourrit le sang sur place et retourne vers le café de Kei en métro, prenant soin de sortir par une mauvaise sortie à Étoile pour pouvoir rejoindre l'avenue de la Grande-Armée en feignant de la remonter. La majeure partie de son exaspération est tombée grâce à l'absorption d'héroïne et au sentiment de sécurité induit par le petit paquet caché avec sa carte de crédit. Il en veut juste un peu à Kei de l'avoir contraint, par son entêtement, à se conduire si peu délicatement avec lui alors qu'il ne demandait qu'à être prévenant et affectueux.

Perrin ment sans le savoir, par ses humeurs, ses sentiments et ses réactions spontanés. Par sa nervosité, sa détresse et son euphorie indépendantes du lien affectif, parfois artificiellement paradisiaques, parfois diaboliquement artificielles. Kei s'est engagé dans une relation avec lui et est pris sans le comprendre dans une autre, elle n'est pas celle que vous croyez, il a mis les pieds dans un lien que rien ne lui permet d'imaginer. Pour Perrin, en avoir fait l'amour de sa vie, c'est constituer sa réserve comme il tâche toujours de faire pour l'héroïne, éliminer toute velléité de manque. C'est vrai qu'il l'aime et qu'il aime faire l'amour avec lui mais il ment par le cœur, il ment par le cul. Parfois, après les immanquables tensions entre eux, les réconciliations sur l'oreiller ne réconcilient que Kei. Elles ne sont qu'un gage donné. Il arrive que le sexe, dans l'amour, devienne un mauvais moment à passer. Indépendamment des postures qu'il peut adopter en des périodes moins héroïnées, il en vient à s'offrir par paresse, parce que Kei, dans cette position, est moins regardant sur sa bandaison, que lui a donc moins à s'inquiéter. Pas besoin d'être une femme pour comprendre qu'il y a aussi des avantages à tirer de la brusquerie de la jouissance masculine. Au demeurant, nul souci de domination chez Kei. Il faut au contraire, en d'autres occasions, que Perrin se démène pour arriver à pleine et entière satisfaction, condition pour que son amoureux ait la sienne. Il y arrive avec mille efforts d'imagination. Son fantasme principal est alors qu'il est tout seul et peut fantasmer n'importe quoi à sa guise, à son rythme.

Parfois, l'héroïne surpasse tout amour parce qu'on l'aime sans devoir coucher avec. Ou parce que coucher avec ne réclame aucun effort, aucune attention.

Perrin a en tête un manuel d'éducation sexuelle où, pour protéger les adolescents de la masturbation, on leur expliquait que le plaisir qu'ils prenaient seuls était doublé quand ils étaient deux, et il avait adoré voir ce manuel critiqué par un esprit libre qui demandait si le plaisir était triplé quand on le prenait à trois, décuplé à dix, centuplé à cent. Il n'y a plus de quoi se moquer. Dans l'héroïne, le sexe est souvent mieux à un, quand ce n'est pas à zéro. Qui n'a pas ses moments où il souhaiterait être délivré de la sexualité ? Pour en finir avec le sexe, l'héroïne. L'abstention est le lot de tous quand elle est momentanée. Elle ne devient une perversion que dans la démesure.

L'amour de sa vie ! La passion a ses détracteurs qui mettent en cause sa rationalité et, pourtant, elle règle et dérègle tout, elle fait le ménage. Le déséquilibre propre à l'état amoureux, qui a ses charmes et ses inconvénients, n'est plus que bonheur serein quand le garçon sur qui il tombe est destiné à rester l'élu pour toute son existence avec réciprocité. La peur du vide est éloignée, de même que les tornades et autres ouragans soufflant sur toute vie sentimentale et sexuelle. Kei est ça, pour lui, ce qui l'amarre à la vie, lui fait tenir bon. Perrin a ce sentiment de reconnaissance envers tous ses amoureux parce qu'il leur doit d'avoir traversé cette période qu'ils ont vécue en commun, comme s'il risquait sinon de disparaître, de passer à côté de la vie, ce serait désolant.

Perrin aborde Benassir dans un bar gay. C'est un jeune Tunisien en vacances à Paris dont la splendeur le fait sortir de toute réserve, il est dans une période maîtrisable de l'héroïne où la sexualité lui est accessible. Le garçon accepte un verre puis un suivant avec sympathie et simplicité, avec vivacité, nullement encombré de sa beauté. Ça ne se gâte qu'au moment de le ramener chez lui.

– Non, désolé, il faut que je rentre chez moi ce soir, j'habite chez des amis, dit Benassir. Mais on peut prendre un verre demain après-midi, si tu veux.

Perrin veut, même si l'horaire n'est guère sexuellement prometteur. Après qu'ils ont échangé leurs numéros (l'autre ne lui a donné que le fixe de ceux chez qui il habite à Paris), il rentre immédiatement chez lui, n'ayant plus rien à faire dans ce bar, plus personne à rencontrer. Car Benassir lui a tapé dans l'œil. Dès qu'il l'a vu, il a eu l'inspiration de l'amour que sa conversation a encore augmentée. Ce garçon est celui qu'il lui faut.

La rencontre le rend heureux, il l'est encore au moment de se coucher. Il ne sait pas si Benassir l'appellera ni si le numéro de ses amis est bon mais il y croit. Un bon petit coït aurait couronné la soirée et cependant elle n'est déjà pas mal comme ça. En outre, rien ne lui interdit une prise pour la nuit, c'est l'avantage de sa privation sexuelle. Jamais il ne se masturbe en rêvant d'êtres réels, il a cette superstition que ses imaginations ne sont pas faites pour être confrontées à la réalité, qu'elles ne se réaliseront jamais s'il les a vécues par avance. L'héroïne porte la promesse d'une douce nuit qui prolongera sans accroc le coup de foudre – en toute situation, l'imaginaire est une ressource.

Au matin, il ne peut pas attendre le coup de fil de l'autre. Il faut savoir s'il se gave tout de suite ou s'il est plus judicieux de laisser son appareil génital en meilleur état de fonctionnement jusqu'à nouvel ordre. Appeler sera aussi une façon de vérifier si le numéro laissé est bon, si Benassir est vraiment disposé au rendez-vous. Et puis il a toujours été comme ça, à téléphoner le premier, ne pas rester dans l'incertitude, se fichant de l'amour-propre : il a toujours été mûr pour l'héroïne.

C'est le bon numéro, ils prennent rendez-vous dans un café à quinze heures. Une petite prise pour fêter ça. Puisque ç'aurait été une grande pour se consoler si ça n'avait pas marché, il peut bien s'en offrir une petite parce que ça marche, à quoi ça servirait que ça fonctionne si ce n'est pas pour être content ? Benassir est au café à quinze heures, à seize heures ils sont chez Perrin, à dix-sept heures celui-ci s'accorde une grande prise puisque tout s'est passé pour le mieux. Il avait bien calculé la dose et maintenant il n'a plus à calculer. C'est le début de sa vie de polygame : il a deux amours à contenter en plus de Kei, Benassir et la poudre. Le garçon, il l'a dans la peau mais l'héroïne, il l'a dans le sang.

« Aimer, la plus douce des aliénations ! » Il se permet de petites insolences romantiques de cet acabit lorsqu'il est amoureux, amoureux et stone, repu à ras bord. Quand il a mis le sujet sur la drogue, Benassir lui a parlé du majoun, ces gâteaux de kif qui sont le seul paradis dit artificiel auquel il ait accédé, juste pour montrer qu'il n'était pas puritain, et Perrin, désormais professionnel du sujet, a envié cet amateurisme. Il aime bien évoquer cette relation avec Lusiau, quand ils sont stone tous les deux, quand rien ne freine l'épanchement qui reste pourtant du domaine du réel, au contraire de celui des alcooliques exagérant les sentiments, comme si l'héroïne était la vérité de la douceur. Mais Perrin est heureux que son amoureux, maintenant rentré en Tunisie, ne trempe pas dans ce trafic. C'est tout un autre univers qu'il conquiert auprès du jeune homme qui lui raconte pourquoi il ne fumera jamais de haschich : parce que, quand il était enfant, il a vu son père atterré devant son frère aîné qui n'arrêtait pas d'en aspirer et lui, dont la promesse n'est pourtant pas le mode de fonctionnement, s'est fait celle de ne jamais ressembler à son frère sur ce point.

Par certains côtés, l'héroïne est le stimulant parfait de l'amour qui lui permet de multiplier le bonheur de son nouveau monde. Il a sa manière à lui d'être amoureux. Plus rien ne compte que l'autre, que leur relation à construire pour l'éternité. Le reste de sa vie n'est qu'un dérangement s'il ne peut pas au moins, comme avec Lusiau, parler de cet autre et cette relation. L'amour est une création. Rien d'étonnant, sa vie sentimentale n'a jamais procédé que par coups de foudre. Lusiau lui a un jour commenté cette particularité en lui disant que lui, de son côté, ne pourrait jamais être amoureux sans avoir fait l'amour avec l'autre, et son ton montrait qu'il n'en revenait pas que ça puisse se passer différemment. Il n'y a que pour la drogue, avait alors pensé Perrin, que lui-même a ce fonctionnement. Jamais il n'aurait pu être amoureux de l'héroïne s'il n'en avait d'abord dégusté ; l'idée, sûrement, l'aurait plutôt dégoûté. Si le plaisir de l'héroïne ne lui était pas tombé dessus avant qu'il ait le temps de réfléchir, jamais il n'en aurait pris.

Aimer, la plus douce des aliénations ? La moins tranquille, en tout cas. Au moins un objet, une substance, Perrin maîtrise. Mais être intoxiqué d'un être vivant, c'est pire que tout. On ne choisit pas quand on décroche, quand on est décroché. La poudre, une fois le premier contact établi, ça marche forcément. Elle n'a pas de désir ou de conscience qui lui interdit d'entrer dans votre paille ou votre seringue. C'est plus vivant, les êtres vivants, avec tous les inconvénients unanimement attribués à la nature humaine.

*

Lorsque Perrin va pour la première fois rendre visite à son nouvel amoureux dans son pays, l'arrivée est une pure joie, quand la poudre consommée avant le décollage de l'avion apaise encore et que la présence de Benassir, sa proximité, la douceur de sa présence et de sa peau sont à savourer dans toute leur munificence. L'après-midi, de nouveau, est magnifique.

Mais la journée est longue. Perrin s'est levé très tôt pour être en avance à l'aéroport et, dans le joyeux tumulte des retrouvailles, n'a pas de mal à ne pas penser à l'héroïne. Mais, après qu'il a refait l'amour, quelques pensées intempestives lui rappellent la moins bonne journée à venir, à savoir qu'il faut dormir afin d'être d'aplomb pour affronter ces prochaines heures. Il s'endort cependant sans problème, satisfait et épuisé.

Un cauchemar le réveille à une heure indéterminable de la nuit. Il est en nage, encore effrayé d'avoir failli être jeté du sommet d'une tour par des adolescents qui ne voulaient rien entendre de ce qu'il avait à dire pour sa défense. Il s'efforçait de garder son calme, comme si c'était la seule façon de les convaincre de l'écouter et l'épargner. Il parvenait à se faire entendre mais ce qu'il disait l'était en pure perte. Il n'a pas le sentiment d'avoir crié, Benassir dort toujours à côté de lui. Ce n'est pas la peur mais le manque qui le met en sueur. Il est tellement fatigué qu'il espère se rendormir quand même. Il somnole, encore un peu anxieux que les adolescents reviennent mener à mieux leur sinistre tâche interrompue.

À ce moment, il prend conscience de la voix du muezzin. Comment ne pas l'entendre ? Il lui semble que personne ne doit pouvoir dormir dans toute la ville mais Benassir ne se réveille toujours pas. Il se demande s'il a rêvé de la tour à cause du minaret. Il ne comprend rien à ce que raconte le muezzin dont la voix s'éteint et resurgit à des intervalles imprévisibles. Il lui semble que ça fait une heure que l'autre chante ou crie, que ça ne s'arrêtera jamais. Quelque chose là-dedans le décourage plus que tout. Benassir dort toujours, ce dérangement n'en est pas un pour lui. Perrin estime que s'il y avait un Dieu, quel qu'Il soit, Il n'aurait pas la bassesse de le réveiller en plein manque pour sa gloire à Lui. Il pourrait pleurer d'épuisement et de rage tellement il a envie de dormir et tellement il en est empêché. Dieu sait qu'il aime Benassir mais que diable est-il venu faire dans cette galère ? Il l'aime d'un amour parisien.

Au matin, l'amour est différent. Perrin est sens dessus dessous. Les toilettes lui sont plus accueillantes que le lit de Benassir.

– Ça arrive tout le temps aux Français, dit son jeune amoureux. Le mieux serait que tu ne boives plus que de l'eau minérale et du Coca. Je vais demander quelque chose à la pharmacie, ils ont des trucs très efficaces.

Perrin est seul en attendant, entre le lit et les chiottes. Quand il arrête l'héroïne, habituellement, mais avec un léger décalage, son désir sexuel est multiplié par les restrictions qu'il a subies sous l'effet du produit. Là, baiser est le cadet de ses soucis. Il est honteux de se présenter sous un jour aussi lamentable, de gâcher des moments qui pourraient être meilleurs, comme si se vider, en l'occurrence sous sa forme la plus concrète et la moins ragoûtante, était son destin de baudruche. Car si les Français ont parfois des problèmes gastriques en rencontrant de nouvelles conditions sanitaires, il ne doute pas ici que ce soit le manque qui fragilise son estomac et tout son corps. Entre l'héroïne et l'amour, on dirait un combat. Qu'est-il venu faire dans cette galère ? Mais la galère est indéfinissable : est-ce la drogue, l'amour d'un garçon, la Tunisie ? Est-ce la vie ? Car le manque n'altère pas que la physiologie, le moral est ce qui flanche en premier et dans les plus grandes largeurs. Mais l'amour est ce qui requinque le mieux, quand il tourne bien. La baudruche, en Perrin, c'est de se présenter comme un homme alors qu'il n'est qu'un drogué, trompant Benassir, se mentant tellement à soi-même qu'il ment aux autres malgré lui. Et, à la fois, il a le sentiment que tout le monde fait ça, d'une manière ou d'une autre, que juste lui s'en rend compte, que c'est une force des héroïnomanes de ne pas pouvoir faire autrement que s'en rendre compte quand leur corps est en rupture de stock.

Dans les mêmes circonstances, il n'a jamais ces effets intestinaux à Paris. L'eau tunisienne est la cause à laquelle son organisme affaibli se contente de ne pas résister.

Il est heureux d'être là, cependant, près de Benassir, et heureux que Benassir se démène pour lui même s'il ne voit pas quel médicament qui lui fera vraiment du bien son amoureux sans ordonnance pourra lui rapporter. Il se souvient qu'on ne l'a pas contrôlé, à la douane, qu'il aurait pu passer sans problème avec une petite cargaison. À moins qu'il n'ait présenté une tout autre apparence aux yeux de douaniers s'il avait eu quelque chose à cacher, ça ne veut rien dire qu'on ne l'ait pas fouillé quand il n'y avait rien à trouver. Les raisonnements sont interchangeables, ils ne pèsent rien face à la situation brute.

– La pharmacienne m'a donné ça, dit Benassir en rentrant avec un flacon. De l'élixir parégorique.

De l'opium à domicile. Il croyait que l'élixir parégorique était interdit depuis des siècles et les secrets de sa fabrication oubliés. Bien sûr qu'il ne comptait pas dessus. Il a le sentiment de profiter du rayonnement de Benassir via la pharmacienne : celle-ci n'a pas pu imaginer un instant que le jeune homme en voulait pour sa consommation personnelle. Il n'a d'ailleurs sûrement pas demandé ce produit en particulier, c'est elle qui a dû le lui choisir en voyant qu'il n'y avait pas de danger de mauvais usage et Perrin touche le banco. Il est déjà conscient de tant devoir à Benassir que ça ne le gêne pas que l'addition s'allonge. Il voit en lui une telle générosité que ça lui fait du bien, il est au moins capable de la susciter et de la recevoir, fût-ce par fraude. Ses douleurs vont être calmées dans un instant. Parfois, ce qui le gêne le plus dans l'héroïne est l'égoïsme dont elle le constitue.

Que se passerait-il si Benassir apprenait qu'il prend de la poudre? Bien malin qui saurait le dire. La drogue n'est manifestement pas familière à son amoureux même comme fantasme. Et pourquoi lui cacher qu'il en prend? Parce qu'on ne peut parler d'héroïne qu'à des héroïnomanes, sinon les gens ont plein de questions, de réserves agaçantes. Sinon les gens n'y comprennent rien, ne parlent que d'arrêter, la vie est belle quand on l'affronte honnêtement.

Sinon les gens vous prennent pour un malade alors que, argumente Perrin en lui-même où nul ne risque de venir le contredire, n'importe qui en serait réduit à prendre de la poudre s'il s'avisait vraiment, le fou, d'affronter la vie honnêtement.

La première gorgée avalée, il se sent déjà mieux, tellement assuré qu'il va l'être. Sur ce coup, il est son meilleur diagnosticien.

– Merci, dit-il de nouveau.

Si Benassir savait de quoi il souffrait réellement, il lui aurait probablement offert cet opium liquide avec la même simplicité.

– Il faut que tu te reposes, dit son garde-malade en restant à côté de son lit, se laissant prendre la main, heureux d'être utile à un homme qui l'aime tant.

Et c'est pour Perrin le meilleur repos, les entrailles et le cerveau calmés, la main dans la main de son amoureux qu'il peut porter jusqu'à ses lèvres, de nouveau prêt à faire de l'amour la totalité de sa vie. Dans l'instant même, il n'est pas trop vaillant pour le sexe mais ils le referont demain, quand il sera sur pied, rien de suspect à avoir une trêve de vingt-quatre heures. Car il a beau le retourner dans tous les sens, c'est toujours la guerre entre la baise et la poudre et ce qu'il vit de provisoire est le meilleur armistice possible.

C'est plus vivant, les êtres vivants, et Benassir est vivant entre tous. Le jeune homme perçoit l'amour de Perrin pour lui qui est ce qu'il y a de plus vivant en Perrin, qui cache l'hibernation de tout le reste. Et c'est vrai que sa passion lui fait surpasser le manque, par instants, maintenant qu'il n'a plus à se trimballer en permanence aux toilettes en se tenant le ventre de douleur, maintenant qu'il n'y a plus de manque.

– Benassir, Benassir, dit-il en serrant cette chaude main dans la sienne comme un flash qui n'en finirait pas.

Il somnole toute la matinée, fantasmant qu'il refait l'amour avec son amant. En rêve aussi, c'est merveilleux.

Quand il rencontre Benassir, la notion d'amour de sa vie est si ancrée en Perrin que ses sentiments pour le jeune Tunisien dont il est fou ne lui paraissent pas susceptibles de changer sa vie éternelle avec Kei. Benassir est une passade. D'ailleurs, il l'aime trop, impossible que ça dure : il se consumerait. Mais ça dure et ça le nourrit.

Il cache à Kei l'existence plus récente du jeune Tunisien qui, lui, connaît la sienne, Perrin le lui ayant présenté comme l'amour de sa vie sans que cela décourage l'engagement affectif de Benassir. Malgré son innocence présumée, celui-ci est d'une habileté qui lui fait comprendre à quoi s'en tenir. Comme aucun de ses deux amoureux ne vit en France, la situation est géographiquement tenable mais elle lui pèse de plus en plus sans qu'il envisage de la dénouer. Il ne peut se passer ni de l'un ni de l'autre. Kei souhaite une exclusivité amoureuse dont lui-même n'est pas partisan et, s'il dit la vérité à Kei, celui-ci le quittera et c'est lui qui se retrouvera dans une relation exclusive qu'il ne recherche pas. Ça n'aurait pas de sens. Ou y a-t-il une manière de présenter les choses qui les rende acceptables? Kei ou Benassir, il s'agit de parler de l'héroïne à des êtres qui ne la connaissent pas. Il n'est pas obligé de les laisser patauger dans les clichés dont seules des prises répétées l'ont lui-même guéri : pourquoi ne pas les guérir aussi? Pareil pour la vie de couple : elle n'est pas un absolu du désir. Il craint cependant de ne pouvoir inculquer cette nouvelle logique à Kei par la seule force de sa conversation, eût-elle lieu au cœur de son lit. Il lui ment donc de plus en plus sur de plus en plus de ses préoccupations mais n'est-ce pas la norme dans un couple? On ne va pas passer son temps à inquiéter l'autre comme si l'amour servait à s'emparer de son amoureux pour en faire un réceptacle d'angoisses. Il parle d'amour, pas de fusion. La fusion semble réservée à l'héroïne qui impose peu à peu son exclusivité. Avec elle, le coup de foudre initial n'était qu'un appât, c'est sur la durée que la passion s'installe.

La vie devient triple : l'un, l'autre, la poudre – le ménage à quatre, ça commence à faire trop. La situation avec ses amoureux est plus facile à gérer quand ni l'un ni l'autre ne sont à Paris mais ce seraient de tristes amours s'il ne les voyait jamais. Ni l'un ni l'autre ne sont jamais à Paris ensemble mais, quand l'un y est, il faut s'occuper de l'autre au téléphone ainsi que se procurer discrètement de quoi nourrir ses narines (heureusement qu'il a cette ressource de ne pas se faire de repérables petits trous dans les veines). Avec l'exagération des sentiments que développe l'héroïne, il est en butte à une angoisse permanente, de faire une bêtise, de faire une bassesse, comme s'il partait d'une position neutre aussi bien moralement que factuellement et que c'était à partir de maintenant, par sa conduite au jour le jour, que tout risquait de basculer du mauvais côté, avec l'héroïne, avec l'amour, maintenant seulement que ses mensonges risquaient d'être condamnables, de faire du mal, parce qu'ils seraient dévoilés, le secret leur assurant l'innocuité.

Cette situation est intenable si ce n'est que l'héroïne lui est d'une magnifique aide à double tranchant. Elle lui apporte tellement de confort qu'elle lui fait supporter l'inconfort. Dans un état normal, peut-être qu'il n'y résisterait pas et que, depuis longtemps, sa conscience ou son énergie vitale l'aurait contraint à l'honnêteté. Mais sa drogue colmate les trous d'air moraux, comme autant d'incendies étouffés sous des tonnes de sable. Avec l'héroïne, l'avenir ne l'inquiète pas ; c'est tellement plus facile, sous son emprise, de ne pas y penser. La vérité n'est pas le but de l'homme sur Terre, du moins pas la vérité prosaïque des corps et des sentiments qui lui suscitent tant d'angoisses. La vérité méditative de la douceur, du réconfort et de la sérénité, celle à laquelle l'héroïne donne un accès accéléré, voici un but qui autorise à en piétiner bien d'autres.

Comme tout amour, l'héroïne commence par une libération. Toute rencontre est bonne au moment où elle a lieu, c'est l'avenir qui récrit le passé. Les adversaires de la drogue ont souvent des arguments si bêtes qu'il n'est pas difficile de vouloir défendre le camp opposé, quoiqu'on n'aime guère les antiracistes qui finissent par pencher à l'extrême droite, fût-ce exaspérés par l'antiracisme. Quel respect devrait-il avoir pour ces gens-là qui refusent l'héroïne par lâcheté, qui n'en prendraient pas même si on leur en offrait ? Quelle crédibilité ont-ils quand ils parlent de drogue ? Bien sûr, ce serait plus honnête de ne pas être accroché à l'héroïne mais ce n'est pas par honnêteté que les autres n'y ont pas goûté. La question n'est pas soluble moralement, rationnellement. L'héroïne rend la vie meilleure mais est-ce encore la vie ? Est-elle signe de santé ou de maladie ? « La poudre ou la vie ? » Amadouer chaque journée par une petite prise le matin au réveil, c'est la moindre des choses quand on s'en est garanti la possibilité.

Certes, Perrin ne devrait en prendre que quand ça va bien et il en prend quand ça va mal, entraîné dans une logique imaginative elle-même développée par le produit. Qu'il serait par exemple injuste de reprocher à l'héroïne les effets du manque d'héroïne. Que son principal défaut est que c'est très bon, un temps. Qu'elle met fin à son profit à toute discussion éthique car il n'y a pas de petite faim existentielle qui ne soit apaisée par des prises répétées. Et que, de toute façon, s'il y a du masochisme là-dedans, dans ce torrent d'humiliations et de contraintes, ce serait masochiste de ne pas s'y laisser aller. Arrêter n'est pas une prise de conscience, juste le fameux dégoût engendré par la satiété. Il en prend par force et par faiblesse, par indépendance et par dépendance, par puissance et par impuissance, pourquoi ne pas se limiter au meilleur terme de chaque alternative en n'y touchant plus ?

Elle est plutôt réputée donner une texture à une existence qui sinon en serait dépourvue mais bienvenue aussi à l'héroïne quand la vie souffle trop fort. Lorsque Perrin est pris dans la bourrasque amoureuse Benassir, il se love en elle comme une évidence – ce n'est pas le moment d'arrêter (quand est-ce jamais le moment de souffrir ?). À cause de l'amour et à cause de la duplicité. S'il faut mentir à Kei, il ne va pas arrêter l'activité qui l'exerce le mieux au mensonge. Ce n'est plus juste la drogue qui est clandestine, c'est tout son être moral. Sa vie est en adéquation avec son vice. Est-ce l'héroïne, l'amour de sa vie ? Maintenir une fidélité éternelle n'aurait alors rien de trop difficile.

Heure après heure, l'héroïne lui liquide la vie. Elle en gomme les aspérités que l'amour ne fait que renforcer. Mais elle ne gomme rien, elle est une anesthésie permanente suivie par aucune opération, comme si sa préparation incluait l'acte chirurgical tout entier. Elle est une invention digne de Spirou, une bombe aérosol qui immobilise celui contre ou pour qui elle est employée, fût-il en équilibre au sommet d'un rocher, laissant dans l'indétermination quant à son sort dès que le temps reprendra son cours – sauvetage ou chute libre ? Elle a la capacité de figer les situations avant qu'elles ne se détériorent d'elles-mêmes sous l'effet de l'accoutumance. Elle donne à Perrin le pouvoir de ne pas choisir parce qu'à la longue s'impose toujours le choix d'une indolence angoissée. Car la sérénité qu'elle lui procure crée sa propre anxiété, que cet état artificiel n'ait qu'un temps, que, désespéré et ridicule comme Sisyphe, il doive recharger son sang perpétuellement, jusqu'à ce que le moteur lâche.

*

Perrin fait l'amour. Très concentré, un peu anxieux, il espère ne pas avoir dépassé la dose. Pour l'instant, son pénis fait l'affaire. Ils sont nus tous les deux, allongés sur son lit, ils se caressent. Ça se présente bien mais rien n'est assuré. Quand il a envie d'un geste particulier à son endroit, il le demande, par des mots ou en saisissant la main ou le visage de son amant pour le lui faire accomplir. Il impose son rythme, aussi, reprenant la main qui a la velléité d'en dicter un autre en plaçant la sienne dessus pour que rien ne déroge à la bonne vitesse. C'est son seul espoir d'arriver à une éjaculation convenable, que l'autre ne prenne aucune initiative, se soumette à telle position, tel rythme, telle caresse. La réciprocité l'angoisse : ce que lui donne l'héroïne, il ne le rend à personne. Il veut faire l'amour en fonction exclusive de son fantasme à lui. C'est comme si c'était déjà assez difficile d'y arriver et que l'autre n'allait pas ajouter un obstacle en ayant son propre désir. Et s'il pensait que cette situation ne définit pas seulement sa vie sexuelle mais l'ensemble de sa relation, ça aussi serait une gêne supplémentaire, alors il se préserve de cette réflexion. Au demeurant, pourquoi la vertu devrait-elle être l'apanage des héroïnomanes ?

Ils sont au lit, il faut en passer par là : le sexe en commun. Sa jouissance à lui est si incertaine qu'il préfère se consacrer à celle de l'autre, sans générosité particulière, pour en finir tout en n'hypothéquant rien, gardant ses chances de recommencer quand il sera plus à la hauteur. La nécessité du plaisir de l'autre n'est pas son bonheur ou son orgueil mais sa commodité. Seulement l'autre est attaché aussi à la jouissance de Perrin, c'est ça l'amour et il n'en sort pas. Pour lui, jouir ensemble est un fantasme d'un autre temps, mais pas pour un amoureux qui n'a pas chimiquement castré la question.

Par qui commencer? Quand c'est par l'autre, l'autre ensuite, par amour, par reconnaissance, n'a de cesse que lui aussi n'ait éjaculé; y parvenir devient une obligation qui n'y aide pas. Quand c'est par lui, il n'en peut plus, après, de se démener pour l'autre. Il fait ce qu'il peut, plein de bonne volonté, mais, au bout d'un moment, il se sent la langue ou le poignet fatigués, ou courbatu par la position inconfortable alors qu'il a choisi le produit qui organise sa vie justement parce qu'il la rend confortable. Il jouit, l'autre, oui ou merde? Perrin a juste hâte que ça en finisse mais il faut continuer, l'amour a son savoir-vivre. Lui ne réclame que de pouvoir passer à l'étape suivante, dormir. Ce n'est pas précisément dormir, avec l'héroïne, mais l'autre n'est pas censé le savoir et lui n'a aucun scrupule à rester la nuit durant seul dans son monde où personne n'est plus habilité à le déranger. Il se sent comme bien des hétéros laissent les filles, paraît-il, dans une relation inégale qui a aussi son charme quand l'autre a eu sa satisfaction.

Parfois, le désir est trop fort, non moins obsessionnel, non moins compulsif que l'héroïne. Il faut baiser à tout prix pour que la relation trouve sa vérité et son apaisement. Il arrive que ce soit magnifique, quand la poudre ne le nourrit que de sérénité et de douceur, d'affection, sans rien lui ôter de ses capacités, au contraire les multipliant, profitant de la particularité de son partenaire, que c'est justement son amoureux qui lui fait si plaisir et à qui il tient tant à faire plaisir – des moments rares dont l'apparition est aussi imprévisible que l'éventuel retour. Pour une fois, le contact n'est pas coupé avec ceux-là, ces non-héroïnomanes dont le sexe est le comble du plaisir. Exceptionnellement, il joue dans toutes les catégories, il est le plus puissant. Ces moments rattrapent tout, cette fin justifie le moyen. Oubliées, toutes ces fois où il sait depuis le début qu'il n'arrivera à rien, que l'affectueuse obstination de son amoureux est un malentendu, une torture destinée à lui faire du bien. Les mensonges propres à toute vie de couple prennent un tour exagérément concret : il ne cesse d'expérimenter le mensonge physique. Lui qui est amoureux de tout son cœur, il a du mal à l'être de tout son corps.

Pisser est une satisfaction ou un agacement, quelque chose qui compte. Sa vessie doit être trop petite, Perrin ne cesse de la vider. Il voit bien qu'il reste plus longtemps que les autres dans les urinoirs, sans aucune intention sexuelle. L'héroïne l'assèche physiquement autant qu'elle l'inonde sensuellement, il boit tant quand il en prend que l'effet diurétique n'a rien que de logique. Il adore l'eau, en outre, héroïne ou pas. Il n'a jamais de mal, quand il va aux toilettes pour absorber sa drogue, à pisser en prime pour de bon – un espion serait dupé. Et, lorsqu'il est en manque, il boit le maximum qu'il peut supporter pour expulser le plus vite possible le plus d'impuretés possible, et là c'est agréable de se dire qu'il ne pisse pas pour rien. Plus il urine et mieux il ira. Ça lui arrive d'aller aux toilettes tous les quarts d'heure et, quand c'est en plein dîner, son compagnon doit penser que c'est pour se charger, comme si la cocaïne et ses effets trop éphémères étaient l'objet de sa convoitise maladive. Il perçoit parfois l'ironique malentendu sans le dissiper, par discrétion. Comme ces gens qui rappellent devant lui les dangers de l'overdose sans réaliser qu'il est en plein manque, ce n'est que par agressivité qu'il remettrait ces cons à leur place. Aussi bien l'héroïne que le manque multiplient ses mictions et, dans cette position, les doigts sur son pénis diminué, il pense à l'amour, à Kei, à Benassir, regrettant que son organe privilégie tant une de ses activités aux dépens de l'autre.

Un week-end, il part pour un congrès universitaire à Toulouse sur l'amour à l'âge classique et Lusiau l'accompagne. L'intention secrète de celui-ci est de voir une copine là-bas et il profite auprès de Ninon du voyage de Perrin. L'imprévu est que leur dealer est tombé, pauvre de lui, pauvres d'eux. Ils partent en début de manque, état dans lequel ils évitent d'habitude d'être ensemble pour que leurs détresses ne s'accumulent pas. Et quand par hasard ils croient quand même bon de se voir alors, c'est toujours avec la plus grande liberté, chez l'un ou chez l'autre où ils peuvent se tenir aussi mal qu'il le faut et se quitter à l'instant nécessaire. L'inverse d'un avion (car le train est trop malcommode, pour un simple week-end à Toulouse).

Au contrôle avant l'embarquement, ils regrettent de n'avoir rien à cacher, d'être tellement légaux. Dans l'avion, à peine sont-ils sanglés dans leurs ceintures de sécurité que Perrin a envie d'aller pisser. Cette envie perpétuelle lui est une étrangeté dont il n'arrive pas à comprendre si elle est physiologique ou psychologique. Dans la vie courante, dès qu'il voit des chiottes il en profite, c'est toujours ça de fait – comme s'il était sans cesse en voyage officiel et que l'occasion d'une telle pause risquait de ne pas se représenter de sitôt. Là, il veut se lever pour y aller avant le décollage mais trop tard, l'hôtesse le fait rasseoir.

– Il faut vraiment que j'aille aux toilettes.

– Patientez quelques minutes, monsieur, lui est-il répondu fermement.

– Mais oui, il faut être cool avec ça, bien prendre son temps, ne pas être trop précoce. Plus tu retiens et meilleur c'est, dit Lusiau en appuyant sur « ça » pour que le mot puisse aussi bien désigner uriner que l'organe qui y sert.

L'un et l'autre savent qu'il faut se forcer à être le plus joyeux possible, sinon ça va mal tourner.

À quel point, d'ailleurs, Perrin a-t-il envie de pisser ? Ni plus ni moins que d'habitude. Seulement, il a maintenant l'idée en tête et sa réalisation interdite. Ça ne suffit pas qu'il ne puisse pas prendre de l'héroïne, il ne peut pas non plus l'expulser. On dirait une punition : tu as été heureux par l'héroïne, tu seras malheureux par l'héroïne. Tu as joui par le pénis, tu souffriras par le pénis. Une leçon.

– Pense à Benassir, pense à Kei, ça arrangera tout si tu bandes, dit Lusiau.

Perrin aurait honte d'y arriver : que la présence de ses amoureux le gêne et que leur absence le stimule. Mais, de toute façon, la seule force de la pensée sera insuffisante et, si c'est pour s'aider de ses mains, il n'y a, dans cet avion, que les toilettes où il pourrait faire ça et alors pourquoi ne pas tout bêtement uriner?

– Au pire, tu n'as qu'à te pisser dessus, dit Lusiau toujours rigolard. Je suis sûr que tu as déjà fait ce genre de trucs.

Lusiau envie à son ami une sexualité présumée extravagante, les homosexuels héritant souvent de cette réputation que Perrin conforte par sa double vie fornicatrice.

– Jamais dans ces circonstances.

– Un avion est pourtant un bon endroit pour s'envoyer en l'air.

– C'est sûr que j'adorerais être dans les nuages, mais non. Snif snif, dit Perrin en caricaturant l'envie de pleurer d'une telle manière que ça ramène la conversation implicite sur l'héroïne où ils sont à égalité, qu'on ne se moque pas que de lui.

– Snif snif, dit Lusiau qui a compris le message.

Ils se forcent à faire les gamins, la drogue convient mieux à la jeunesse, et la bonne humeur, autant qu'on peut la tenir, est le meilleur remède au manque. Ils ne s'endorment pas, ils tombent dans cette torpeur pesante, ensuée et frissonnante propre à leur état. Quand Perrin soulève enfin les paupières, le signal recommandant de garder sa ceinture attachée est éteint. Il se lève, heureux aussi d'aller se passer de l'eau sur le visage. Mais il y a une queue devant les toilettes et son tour n'est pas arrivé quand la descente de l'appareil est débutée et sa présence requise sur son siège.

À on ne sait quoi, Lusiau, sorti à son tour de son abrutissement, voit tout de suite que la situation urinaire n'a pas avancé d'une goutte et continue sa blague :

– Toujours pas ? Tu es un super-coup.

Perrin se soulage à l'aéroport de Toulouse. Ça lui prend des heures, comme toujours quand il s'est retenu. Lusiau est écroulé de rire à l'attendre et l'autre se laisse entraîner par cette hilarité forcée.

– Putain, c'est trop la honte d'être dans des chiottes et de n'avoir rien de mieux à y faire que pisser, dit Perrin en se passant le doigt sur sa moustache inexistante, comme Humphrey Bogart mais un soupçon plus haut, juste sous les narines.

– Moi, je crois que j'ai pire à faire, dit Lusiau car qui est sujet au manque l'est aussi souvent aux désordres intestinaux.

Il y a quelque chose de sinistre à devoir être gai à tout prix. Il leur faut persister à se considérer comme des privilégiés, sans quoi ils n'auraient plus qu'à se voir comme des victimes.

Peu avant la présentation générale puis son intervention, Perrin est de nouveau aux toilettes de l'université.

– Je pensais bien te trouver là, dit Lusiau en y surgissant.

Il ne devrait pas être ici mais ça n'a pas marché avec sa copine, l'impuissance des premières heures du manque. Alors Lusiau a préféré l'abandonner, ne se sentant pas de la supporter sans sexe, mal comme il est. Il n'a plus aucune raison d'être à Toulouse. C'était écrit, les héroïnomanes n'excellent pas dans le tourisme sexuel.

Perrin est concentré sur ce qu'il fait. C'est quand même sa bite qu'il a entre les mains en pissant, ce n'est pas rien. Là, cependant, ce n'est pas grand-chose. Son sexe est tout ratatiné, il urine par à-coups, comme si ses nerfs influaient sur la largeur de son urètre. Il essaie de se concentrer sur ce qu'il aura à faire après, se tenir correctement pendant la présentation des congressistes, ne pas bousiller sa communication. Il renslipe sa queue et se reboutonne, après quoi Lusiau se fiche de lui.

– Quoi ?

– Regarde ton jean, tu en as mis partout.

Ce n'est pas une blague et Perrin est à deux doigts de pleurer. Il en a plein l'extérieur de la braguette, une humidité visible, jusqu'au niveau des genoux, par petites traînées pitoyables. En définitive, après quelques secondes difficiles, il éclate cependant de rire parce que c'est ce qu'il a de mieux à faire. Il n'a aucun pantalon ni situation de rechange, tout promet juste d'être encore plus compliqué.

– Attends, dit Lusiau qui se passe les mains sous l'eau comme pour les laver et en fait envoie sur son ami tout le liquide conservé dans ses paumes.

– Non mais tu es trop con, dit Perrin à fleur de peau que toutes ces gouttes d'eau supplémentaires font déborder.

Sa chemise, sa veste et son pantalon sont trempés. Ce qu'il redoute par-dessus tout est arrivé, que l'héroïne ne sabote pas seulement sa vie personnelle mais aussi professionnelle, qu'elle affecte sa position sociale ainsi que ne peut manquer de le faire l'assaut conjugué du manque, de la pisse et de l'eau. Il sait trop bien de quoi il doit avoir l'air, d'un type comme lui qui n'arrive pas à donner le change. Il se tient mais il pourrait éclater en sanglots, qu'est-ce qui lui a pris d'accepter d'aller à ce congrès de merde ?

– Pleure pas, dit Lusiau paisible et souriant. Comme ça, personne ne peut voir que tu es couvert de pisse, tu as de l'eau partout.

Perrin comprend que c'est vrai, se soumet, est le premier à croire qu'il n'est trempé que d'un liquide acceptable lorsqu'il arrive à la grande table, sur l'estrade, où sont réunis les intervenants. Commence un discours si interminable qu'il acquiert une qualité, les vêtements de Perrin auront séché avant sa conclusion. Mais il n'arrive pas à tenir ses yeux ouverts. Ses paupières dont il est si heureux, au cœur de l'héroïne, qu'elles s'abaissent mécaniquement, voici qu'elles agissent de même sans que ça lui apporte la moindre satisfaction. Il somnole, il n'entend rien, il est en nage. Il a hâte de pouvoir se lever. Les applaudissements le réveillent et il y mêle les siens, tout engourdi d'avoir dormi assis sur une chaise, la tête dans les mains et les coudes sur la table, au mépris de toute bienséance universitaire.

Une heure plus tard, après qu'il a déserté la communication d'un collègue et séché celle d'un autre pour se passer de l'eau sur le visage aux toilettes, c'est son tour. Il vient de rentrer dans la salle après avoir fumé un pétard dehors avec Lusiau, celui-ci n'ayant pas entièrement fait chou blanc avec sa copine, et jeté un dernier coup d'œil sur ses notes. Il préfère généralement ne pas avoir un texte rédigé, sinon la lecture donne l'impression d'ennui qu'il vient de ressentir, mais, en l'occurrence, quelques pages dactylographiées qu'il n'aurait qu'à lire, fût-ce d'un ton monotone, seraient une bénédiction. Au moins, il saurait par où commencer. Il a oublié le titre qu'il a donné il y a des mois, quand les organisateurs le réclamaient pour les programmes à imprimer. Quelque chose comme « De *Don Juan* à *Manon Lescaut* ». Ce qui lui plaisait alors était l'image à l'époque du séducteur et de la séductrice, l'image du désir et du plaisir selon qu'ils sont inspirés par le masculin ou par le féminin – ce genre d'idée de congrès qui n'est en rien sa préoccupation du moment. Il est mal comme tout, il a l'esprit en vadrouille, ne se sent guère sémiologue ni théoricien.

– On n'a rien dit quand on a dit que Manon Lescaut est l'amour de la vie de Des Grieux, dit Perrin dès qu'il est derrière son pupitre, pris d'une impulsion soudaine. Quel amour ? Quelle vie ?

Il est honteux de ses procédés rhétoriques. Il regarde Lusiau rentré dans la salle pour l'écouter, s'attendant à le voir rigoler et pas du tout. Au contraire, son ami qui s'était étalé se redresse sur son siège l'air captivé, capturé, accroché à ses mots.

Perrin a ses amants et ses amoureux mais il semble plus regarder du côté de Des Grieux que de Don Juan – il n'a pas sa poudre.

– Aimer, c'est ne pas avoir le choix. Des Grieux est mené hors de soi-même, dans un nouveau soi-même dont il n'avait jusqu'alors aucune idée, ignorant que l'humiliation était son monde puisque l'occasion ne lui avait pas encore été donnée d'y baigner. Il s'y trouve comme un poisson dans l'eau marécageuse. Pour lui, aimer est une caution morale : le vol à main armée n'était pas sa tasse de thé, qu'aurait-il su de la police, de la tricherie au jeu, du vol et de la prison s'il n'avait jamais rencontré Manon ? Sans elle, qu'aurait-il su du masochisme, du bonheur de la déchéance ? Comment apprendre que le masochisme est son destin, comment le trouver sur sa route quand on est un jeune homme bien né ?

Il s'arrête pour boire et réfléchir à la suite. Deux trois gorgées et il reprend. Il sent que c'est un succès. Le manque le rend émotif, personnel, et quelque chose de son émotion et de sa personnalité passe. Son effondrement social n'est pas pour cette fois.

Quand il replie enfin ses trois pages de notes pour les remettre dans sa poche en ayant tenu le temps imparti, il est très applaudi. Il a le sentiment que c'est par narcissisme qu'il a privilégié, au mépris du titre de sa communication, Des Grieux sur Manon Lescaut et Don Juan, et que c'est justement ça qui a plu à ses auditeurs.

– On voyait que vous étiez tendu, lui dit un collègue inconnu lorsqu'il s'éponge après avoir terminé comme si c'était par des gouttes d'eau sur sa peau que s'évaporait l'héroïne. C'est pour ça que c'était si réussi. Bravo.

– Bravo, dit Lusiau. On voit que tu tiens la forme. C'est une belle idée, celle d'amour de sa vie, mais ce serait bien aussi de pouvoir la réduire en poudre, la réduire ou la développer, la transformer.

Ils résistent jusqu'au retour à Paris, aidés par le petit bout de shit qu'il faut finir avant de retourner à l'aéroport et surtout par un coup de fil, une des multiples pistes activées se manifeste enfin. Ils y iront direct d'Orly. Ce manque-là les a pris par surprise, aucune raison de s'y sentir tenus. Ce n'est pas un renoncement qu'aller se procurer la marchandise maintenant qu'ils sont presque clean puisqu'ils n'avaient pas l'intention de le redevenir si tôt, clean, que ça s'est décidé sans eux. Ils sont de si bons amis et de si bons amoureux qu'avoir le même amour dans la vie les réunit encore plus.

★

La situation explose à cause d'une indiscrétion. Kei comprend soudain ce qu'il en est et largue Perrin. Celui-ci se retrouve avec Benassir comme unique amoureux, position plus gérable. Mais Kei lui échappe. Perrin est d'autant plus désespéré que la rupture se passe quand il n'est toujours pas fringant, fragilisé tour à tour par l'héroïne et l'absence d'héroïne. Il pourrait décider d'y retomber pour combattre la nouvelle, comme si un malheur lui donnait droit à une compensation, ainsi qu'il fonctionne depuis des années – mais il a vite le sentiment inconscient que la nouvelle n'est pas si déplorable à long terme, si elle peut lui permettre de retrouver un équilibre, et prendre les choses heure par heure se révèle encore la meilleure manière de ne pas insulter le long terme.

Il quitte l'héroïne et c'est lui qu'on quitte. Quand l'autre l'envoie au diable au téléphone avant de rentrer au Japon, Perrin ne supporte pas l'idée de ne jamais le revoir, il n'arrive pas à y croire. Il est tellement évident que Kei lui manquera.

Il ne peut s'empêcher d'être persuadé de la vérité de la détresse, comme s'il passait sa vie à s'en défendre et que, quand enfin elle surgissait, fût-ce provoqué par un phénomène chimique évident, c'était la réalité inamovible qui s'effondrait sur lui, qui déferlait pour le faire naufrager, comme si c'était la réalité et non le manque qui le désarticulait. Chaque souvenir heureux est épouvantable tellement il porte en soi l'impossibilité de sa répétition, son renouvellement. Et la drogue elle-même, qui a pu être signe de force et de santé dans sa jeunesse, devient malsaine et lâche maintenant que devrait se profiler sa maturité. La bienveillance chimique de l'héroïne le protégeait de l'aigreur (et de la réflexion, de la pensée), il va falloir trouver un moyen plus réfléchi, plus naturel. Mais il est accroché à la vie, l'instinct de survie aussi est son addiction. La procrastination se révèle sa bienveillante ennemie lorsqu'il s'agit de se libérer de l'héroïne et que le moment n'est jamais venu d'affronter l'épreuve. Elle a du bon quand mourir est la chose qu'il ne pourra éviter de faire et que remettre éternellement la mort au lendemain est la meilleure stratégie. Reprendre de l'héroïne aussi, somme toute, il sera toujours temps demain.

L'amour est un produit de substitution. Mais, comme pour la méthadone et tout ça, on en vient à faire le trafic des produits de substitution. À force d'instrumentaliser dans sa tête l'idée même d'amour de sa vie, Perrin laisse son rêve se substituer à la réalité et son amoureux, en tant que personne réelle, a forcément du mal à y trouver sa place. Kei le lâche et l'univers se fendille. Il s'est trompé quelque part. Il vivait avec deux amoureux plus l'héroïne parce que c'était possible. Eh bien non, ça ne l'est pas. Mais il ne vivait pas si heureux que ça, alors l'échec a du bon. L'erreur a du bon : ce n'était pas ça, la belle vie, il peut sûrement trouver mieux.

STOP

Plusieurs êtres qu'il chérissait sont morts, déjà, mais c'est un matin en se réveillant qu'il découvre les limites de l'éternité. Tous ces siècles d'humiliation et de dépendance à venir, soudain ça fait trop. Perrin rêve d'un horizon sans héroïne, d'un divorce, quoi. L'ambition serait qu'il y ait consentement mutuel entre toutes les parties de son corps et de son cerveau, l'avocat de ce genre de cause est médecin.

Il n'a plus de généraliste attitré. Il consulte juste un spécialiste pour une maladie rare mais sans gravité. Il va le voir, dit son nouveau problème et son objectif, que l'héroïne disparaisse de sa vie. Le coûteux spécialiste lui donne un nouveau rendez-vous, qui n'est pas ce qu'il cherche. Il se fait plus explicite encore à ce rendez-vous suivant mais le spécialiste tergiverse, procrastine, comme s'il avait peur de perdre sa clientèle en lui indiquant un autre médecin – et c'est bien ce qui se produira. Perrin insiste tant qu'il finit par obtenir un nom et un numéro de téléphone, un psychiatre qui consulte à l'hôpital.

Ce psychiatre lui est immédiatement antipathique, le recevant trois minutes pour lui dire à son tour de revenir la semaine prochaine. C'est comme si l'hôpital faisait un tri parmi les demandes, qu'il n'accordait son imprimatur de traitement qu'à ceux qui montraient un investissement suffisant pour perdre leur temps à dupliquer les consultations. La semaine suivante, Perrin y retourne quand même, faisant remarquer au psychiatre que celui-ci ne s'attendait pas à le revoir. « Je n'ai rien pensé de tel, dit le psychiatre. C'est vous qui hésitiez à revenir. » Perrin est agacé de cette psychanalyse à la petite semaine alors que son excellente volonté était évidente du premier jour, ça ne lui semble rien présager de bon. Cependant, en cet autre rendez-vous de trois minutes, il obtient de nouveau un nom et un numéro de téléphone.

Le docteur Darboy est une femme un soupçon plus âgée que lui dont l'écoute et la parole, dès le premier rendez-vous, le convainquent que son parcours médical cahoteux a débouché sur la bonne destination. Il est avide de soumission à un médecin, loin de lui toute posture rebelle. Ça lui fait bizarre de parler de l'héroïne comme d'une maladie, d'ailleurs il ne va pas jusque-là. C'est un plaisir qu'il a du mal à maîtriser, il y a un problème de dosage. Peu importe, au demeurant, quoi que ce soit il veut s'en débarrasser. Il n'est là que pour ça, dans ce cabinet dont une fenêtre donne sur un petit jardin qu'il aura tout loisir de voir évoluer, saison après saison et année après année, au fil des multiples rendez-vous. Est-il judicieux d'affronter le manque, le manque définitif, sans recours, en plein hiver, quand il fait froid et triste, au risque d'être entraîné encore plus vers le bas et devoir replonger pour remonter, scellant l'échec obligé de sa noble tentative ? Printemps, été et automne ont aussi leurs arguments spécifiques contre eux.

Une maladie, malgré tout, puisqu'il sort du cabinet avec une ordonnance, de quoi se réconforter quand son corps l'abandonnera. De fait, ils sont efficaces. Ces quatre jours de manque physique qui épuisent généralement tout son courage et au-delà, cette fois-ci il les passe sans mal. C'est comme s'il était récompensé de son aveu, qu'en acceptant la possibilité de la maladie il accepte celle de la guérison. Il a donc tant souffert tant de fois pour rien, à ne rien prendre suivant une stratégie si bête que le docteur Darboy a d'abord cru qu'il lui mentait, tellement les molécules étouffant dans l'œuf la plupart des ravages sont disponibles depuis des années. Mais, suivant un processus familier, la facilité et l'efficacité du traitement ôtent tout caractère de gravité à son affection, puisqu'il lui est si aisé de la faire cesser. Si le manque n'est plus le passage obligé pour se débarrasser de l'héroïne, la nécessité de s'en débarrasser est moins forte, si c'est tellement commode. La deuxième fois, les médicaments lui paraissent un peu moins actifs. Le traitement semble comme l'héroïne elle-même, c'était toujours mieux avant. Avant qu'il n'y ait goûté, en fait. Le dépucelage, la nouveauté font partie intégrante du charme et le premier imbécile venu n'a normalement pas besoin d'années d'intoxication pour comprendre que ce n'est pas en tentant en permanence de la renouveler qu'on retrouve la première fois.

Quelque chose passe, avec le docteur Darboy. Perrin est à l'aise, se sent compris, ce qui lui permet l'honnêteté nécessaire, comme si seule la bêtise du vis-à-vis contraignait à une pudeur contre-productive. Il dit tout le bien qu'il pense de sa dernière trouvaille à Lusiau, qui en a soupé aussi de son addiction et devient à son tour client.

– Vous n'avez pas la structure psychique d'un toxicomane, lui dit-elle un jour alors que le hasard fait que le malade précédent était Lusiau qu'il vient de croiser de sorte que, malgré la discrétion du docteur Darboy, il reçoit ce diagnostic comme l'envers du précédent dont il ne sait pourtant rien.

Il faut croire qu'il est prêt à entendre les deux, la toxicomanie de Lusiau, sa non-toxicomanie à lui, qu'au fond il est convaincu d'un truc de ce genre. Comme si son indifférence au monde, son incapacité à s'en saisir, tout ça qu'il prétend guérir par l'héroïne, au fond il l'applique aussi à l'héroïne. On ne dirait pas parce qu'il est dedans jusqu'au cou mais, après tout, sa vie n'est pas là et pas non plus le remède à sa vie. Quand le docteur Darboy évoque les produits de substitution, il répond que c'est l'héroïne, le produit de substitution, que c'est de ça dont il ne veut plus, les substitutions.

– Vaste programme, dit-elle alors gaiement en parodiant le général de Gaulle.

*

Perrin ne décide pas, comme ça, d'arrêter l'héroïne du jour au lendemain ; il décide d'essayer, ce qui est déjà une sacrée résolution. Elle ne serait pas une maladie mais un malaise, il faut attendre que ça passe, il y a urgence à attendre que ça passe. Comme une psychanalyse, il perdrait son temps à vouloir hâter le bon moment – à tenter de précipiter l'instant fatal, il ne l'atteindrait jamais.

Lusiau et lui restent discrets sur leurs intentions, ne les partagent guère. Maintenant que la décision est prise d'essayer d'arrêter, c'est chacun pour soi. Il ne faut pas en parler sinon ce sera comme avec Lucien, chacun entraînera l'autre dans sa rédemption, c'est-à-dire sa chute.

– Putain, ça ne va pas du tout, lui dit Lusiau avec le ton et les suées glacées de l'honnêteté. Tu n'as pas un plan ?

Perrin, quand il en a un, le lui fournit avec honte, alors que son ami est près d'en sortir, et lui fait la leçon qu'il ne doit rien lui demander, ne pas le mettre dans cette alternative : ou lui mentir en le laissant dans sa merde du moment, ou le dépanner en le laissant dans sa merde durable. Le résultat est que lorsque lui-même, n'osant pas à cause de ses propres recommandations réclamer ouvertement une petite lichette à Lusiau, sous-entend qu'il est au plus mal ou va bientôt y être et que le moindre milligramme serait un cadeau du ciel n'obtient jamais de réponse, conformément à la règle stupidement édictée et à laquelle Lusiau serait bien bête de contrevenir dans ce sens, pour se prendre en plus des reproches. Donc, en gros, ils se soignent chacun de son côté, le succès de l'un ne pouvant qu'aider le succès de l'autre mais l'échec individuel comportant le même risque collectif. Mais ils ne se soignent pas : ils essaient d'arrêter, tâche courageuse qui devrait susciter l'appui de tout leur entourage, ce même entourage qui les exaspère si souvent à limiter quand ce n'est pas censurer leur liberté de s'en gaver. Tout est vertu dans l'héroïne : en prendre, cesser d'en prendre ou même juste essayer. Tout est dû aux héroïnomanes : pour ne pas gâcher leur prise ou pour ne pas anéantir leurs efforts de ne pas en prendre.

Il déguste. La journée, Perrin la passe dans un état d'effondrement, mal dans sa peau, en pleine détresse. Normalement, il organise jusqu'à ses manques pour qu'ils ne surviennent pas un jour socialement constitué. Les week-ends sont l'idéal où il peut rester chez lui à se traîner à l'abri des regards. En plein naufrage, il a du mal à lire autre chose que des polars ou des BD, des qu'il a déjà lus, qu'il sait assez gais pour ne pas l'enfoncer. La télé, parfois, c'est trop dur : toute cette imbécillité alors qu'il souffre tant, il ressent le même dégoût que devant des gens si compatissants qu'ils se gaveraient dans un festin interminable organisé pour recueillir des fonds contre la faim dans le monde.

Mais il arrive aussi qu'un dealer se fasse arrêter sans prévenir, l'enfoiré, et il doit affronter le manque en pleine semaine, faire cours dans ces conditions qui n'y prêtent guère. Il pensait ne pas y parvenir mais si, au contraire, il était tellement concentré sur son job que les heures ont passé moins mal qu'à l'accoutumée. Il a fini le cours en nage, la chemise collée au corps, son mouchoir trempé à force d'essuyer son front dégoulinant. Mais content et presque triste que ce soit déjà terminé et qu'il faille attendre le lendemain pour retrouver un objet d'attention autre que sa propre chute.

Car rien n'égale ses nuits en ces circonstances, sa nuit éternelle. Il a passé la journée épuisé, peinant à garder les yeux ouverts à l'inverse de cette situation si plaisante, quand il est stone à ras bord et que maintenir les paupières levées est un effort qu'il est heureux de ne pas parvenir à faire, signe que tout va bien, qu'il risquerait l'overdose à ce que ça aille mieux, comme s'il avait atteint un absolu : voici exactement le maximum qu'il peut absorber sans danger de mort immédiate. Non, maintenant c'est le maximum de ce qu'il peut absorber sans risque de suicide immédiat. Et une fois que l'heure est décente pour se coucher, c'est le déchaînement, toute son énergie semble s'être préservée pour enfin se donner libre cours. C'est une débauche de mouvements. Il a les nerfs tellement à fleur de muscle qu'il n'a pas l'espoir de jamais pouvoir étancher cette fougue abhorrée. Il ne s'y met que par un instinct de survie immédiate, il essaie juste de passer cet instant pour atteindre le suivant. Allongé sur le dos, il peut lever les jambes pour se mettre à pédaler sur un vélo imaginaire – en vérité, il ne peut pas ne pas le faire – et il a l'impression qu'il y met l'énergie suffisante pour faire le tour de la Terre et que c'est effectivement ce qui s'est produit, qu'il a fait le tour du monde et se retrouve à la même place, dans la même situation, avec autant d'énergie surnuméraire. Et le cerveau aussi fonctionne à plein régime, explorant tous les recoins du désastre, cette vie foutue, disparue, ce paradis où il ne connaissait pas l'héroïne et que les plus grands savants ne pourraient pas faire resurgir, ce paradis que dans son état de drogué normal, repu, il ne trouve pas plus paradisiaque que celui d'un homme trompé, malheureux en amour, et qui croirait regretter le temps soudain béni de son pucelage. C'est comme si le manque était une amphétamine qui permettait de rester le maximum de temps au maximum de la détresse.

Aucune noblesse, en outre, dans cette épreuve qu'il a bien cherchée, comme les victimes du sida meurent sans recueillir la même commisération que ceux qui sont tombés au champ d'honneur, comme sont punis les cancéreux du poumon que rien ne convainquait d'arrêter de fumer.

*

Un soir, ils chassent ensemble. Ils devaient dîner tous les deux mais se décommandent chacun sans expliciter leur mobile qui est pourtant le même : ils sont trop mal pour additionner leur souffrance. À vingt-deux heures trente, l'autre, qui a compris, l'appelle.

– Salut, c'est Lusiau. Je ne tiens pas comme ça, je connais un endroit vers Château-Rouge où on trouvera à coup sûr, au pire on y passera une demi-heure. Je le sais, je le fais régulièrement. Je passe te chercher en bagnole dans un quart d'heure.

– D'accord, dit Perrin.

Il le dit par amitié – si Lusiau appelle, c'est qu'il a besoin de sa présence pour cette traque – et par nécessité – c'est quand il n'a aucun moyen d'en trouver qu'il peut ne pas prendre d'héroïne, impossible de s'y tenir face à un démarcheur à domicile.

À Château-Rouge, il s'avère que la connaissance du coin que prétend en avoir Lusiau ne vaut pas assurance de transaction. Ce n'est pas comme dans les films ou les articles, il ne suffit pas de rouler à lente allure pour repérer illico un dealer. En plus, ils préfèrent ne pas sortir de la voiture, ne pas prendre le risque de se faire agresser. L'endroit est mal famé, c'est pour ça qu'ils y sont. Ils sortent quand même, ça ne marche pas dans la voiture. Mais ils ne peuvent pas aborder le premier venu sur le trottoir pour lui suggérer une petite transaction illégale dont il serait le bénéficiaire financier. Situation ridicule qui traîne, ils font et refont les mêmes rues à petits pas sans plus savoir comment ils arriveraient à identifier un éventuel dealer. Il faudrait que ce soit le mec qui les aborde, mais ils doivent autant donner l'impression de flics en civil que près de la gare de Madrid. Ils sont nouveaux dans le quartier, Perrin en venant à penser que Lusiau a inventé ses prétendus achats précédents, rien d'étonnant à ce qu'on se méfie d'eux.

– On rentre ? On ne va jamais trouver.

– Ne sois pas impatient, dit Lusiau qui l'a conduit ici dans sa propre voiture, qui maîtrise l'horaire.

Toxicomane, non-toxicomane : Perrin croit mieux voir la différence. Lui, il arrive à s'y faire.

Il aime mieux passer le manque chez lui, selon les rituels qu'il a établis, sans nouveauté, sans espoir. Si c'est pour finir par ne pas avoir d'héroïne, mieux vaut ne pas en chercher. Mieux vaut se contenter de son piteux sort, une chasse sans résultat ne pourra qu'y ajouter une couche de piteux, de souffrance supplémentaires. C'est ce qu'il appelle la réserve bourgeoise de sa déchéance.

– Avant minuit et demi une heure, il y a encore trop de mouvements, les mecs font hypergaffe. Ça va se calmer, dit Lusiau.

– Alors ce n'était pas la peine d'arriver si tôt, dit Perrin en souriant car, somme toute, s'il n'était pas ici il serait chez lui à ne pas dormir comme un torturé dans son lit et il n'est pas venu pour se disputer.

À des moments, ils se sentent vraiment comme des chasseurs, tels des violeurs en mal de cul ou des hold-upeurs en mal de fric. Ils connaissent le gibier, une poudre blanche si apaisante, mais, en cet instant et ce lieu précis, ils ne savent pas à qui il faut graisser la patte pour ouvrir la saison.

Ils ne parlent pas, chacun connaît le cauchemar que vit l'autre. Chacun s'efforce de ne pas manifester une pire détresse que l'autre. Ils pourraient pleurer, de tristesse, de rage, de désespoir, d'honnêteté. Cette nuit plus noire que noire leur tend un miroir.

– Putain, c'est mort, dit Lusiau à deux heures.

En voiture, il n'y a plus que la police et eux qui y sont remontés pour patrouiller. À force de croiser le même véhicule, ils finissent par se faire contrôler. Tout se passe bien. Au moins, ils n'ont pas peur qu'on trouve de l'héroïne sur eux.

À trois heures moins le quart, Lusiau dépose Perrin en bas de chez lui, là où il lui a donné rendez-vous quatre heures plus tôt. Ils n'ont rien obtenu que quatre heures de passées.

*

Du temps où l'héroïne n'était pas un problème – quand il pouvait s'en procurer autant que ses moyens financiers le lui permettaient sans que cela pèse consciemment sur son mental ni son organisme –, il est arrivé à Perrin d'acheter comme ça, pour voir, un médicament en vente libre dont on lui avait indiqué que, si on en prend trois fois la dose, on parvient à un effet assez proche de celui de sa drogue. Ça l'amusait de faire le test et il a été à moitié convaincant. L'effet n'est pas exactement le même : non seulement il se sent moins stone mais ça lui pèse sur l'estomac, créant un environnement moins serein. À l'inverse, il n'y a pas non plus photo question prix. Il n'empêche que, tant qu'il le peut, il préfère payer le prix fort pour la satisfaction la plus forte.

Maintenant qu'il veut décrocher, il se jette dessus un jour où il est mal et, incapable de joindre un dealer, invente que c'est compréhensible de se raccrocher à un médicament, que c'est plus excusable, plus éthique. Il aurait pu redemander ses produits anti-manque au docteur Darboy (d'habitude, il en fait des provisions pour éviter tout dépourvu et là, il n'a pas pu faire autrement que filer tout ce qui lui restait à un ami qui le lui réclamait en s'évertuant à faire peine à voir) mais il n'est pas en manque physique, juste mal. Il préfère se garder l'appel d'urgence au docteur Darboy pour une meilleure occasion.

Il n'est pas dans son quartier, il entre dans une pharmacie qu'il ne connaît pas. Il passe sa commande, pas plus compliquée que s'il demandait de l'aspirine ou de la vitamine C.

– Je vais voir, je ne sais pas s'il m'en reste, dit la pharmacienne avec un air soupçonneux odieux. Non, je n'en ai plus, désolée, dit-elle en revenant sur un ton qui montre qu'elle ne l'est pas.

Il est fou de rage. Il claquerait la porte en partant si ce n'était une porte de verre qui ne s'y prête guère, comme souvent dans les pharmacies, comme si elles étaient construites pour se protéger des claquages de porte et des clients furieux, comme si ne pas rendre service était la mission première de ces officines. Il est tellement hors de lui qu'il n'a même pas pu répliquer le moindre mot désagréable. À dire vrai, ils ne lui viennent pas même avec retard. Cette femme l'a pris pour un drogué, c'est ça qu'il a du mal à supporter. Comment peut-on être si bête ? Comment peut-on si mal connaître le monde et la vie et cependant être pharmacienne ? Il lui semble que c'est une question existentielle prioritaire à laquelle on ne lui apportera jamais de réponse. Le choque infiniment moins que, voyant ce que dans son esprit elle a identifié comme un drogué, elle ait choisi de ne pas lui venir en aide. Ce n'est pas ce qui manque, les pharmacies, il ne va pas se faire jeter à chaque coin de rue et la pharmacienne réticente le sait bien. Il déteste cette communauté où elle autant que lui connaissent le véritable usage de ce médicament.

Ce n'est pas la première fois qu'il estime que la médecine passe, à son encontre, d'une arme contre les maladies à une arme contre ce qu'elle appelle les malades. Il déteste quand des amis, sous prétexte d'être bien intentionnés, lui disent de prévenir avant une opération, qu'il ne faudrait pas que la morphine cesse de lui être un analgésique, à force, et qu'il souffre plus qu'il ne devrait. Il déteste parce que ça lui semble un conseil et que les conseils, contre l'héroïne, ce n'est pas efficace. Et il y a ce médecin qu'il est allé revoir pour des hémorroïdes quand le docteur Darboy était en vacances. Il avait laissé tomber le docteur Butten mais y est donc retourné quand nécessité a fait loi, pensant que l'autre lui avait pardonné sa trahison. La consultation s'est déroulée normalement, avec la gêne afférente à l'auscultation de cette affection, jusqu'à ce que, de question en question, il en vienne à dire qu'il prend de l'héroïne – pas qu'il est malade, pas qu'il est accroché, juste qu'il en prend, « comme tout un chacun », ajouterait-il pour un peu. Avec plus de mépris qu'un dealer, le médecin lui a dit : « Pauvre de vous », et Perrin s'était pareillement retrouvé dépourvu de repartie, seulement décidé à priver à jamais le docteur Butten de sa clientèle.

Lusiau l'appelle par coïncidence pour se renseigner sur le médicament en vente libre dont il connaît l'existence mais a oublié le nom. Perrin le lui donne. Un quart d'heure après, Lusiau rappelle : il n'a eu aucun mal à trouver les comprimés mais les a dégueulés trois minutes après les avoir pris. Question héroïne, il n'y a que l'héroïne qui fasse l'affaire. C'est tout ou rien.

Pas bête : Lusiau prépare une exposition autour de l'héroïne et mène donc ses recherches à sa guise. Le moment serait malvenu pour lui reprocher d'en prendre à l'occasion, que Ninon se le tienne pour dit. Il a rencontré Kader en tant que dealer et a l'idée de l'utiliser en prime comme modèle. Le garçon est flatté que se révèlent en lui des compétences dépassant la drogue, Lusiau pas mécontent que le rapport s'inverse lorsque c'est lui qui se retrouve dans le rôle du dealer, artistiquement parlant, lui qui fournit le boulot. Il a trouvé le moyen de joindre le travail à l'agréable et s'en vante auprès de Perrin car, naturellement, tout est organisé pour que les séances de pose se déroulent le plus agréablement possible, quelques grammes circulent. Kader devient aussi le dealer de Perrin, sobrement, sans échange artistique. Ils s'entendent bien, passent parfois une soirée ensemble tous les trois quand Perrin vient chercher Lusiau à l'atelier et qu'ils n'ont pas encore fini le boulot.

Perrin en a pourtant par-dessus la tête. Parfois, lorsqu'il écoute Lusiau ou Kader parler de la marchandise, il se sent si dégoûté qu'il est à deux doigts de vomir, comme envahi d'une honte autant physique que métaphysique. Ce qu'il fait de sa vie, ce qu'il fait de son corps. Mais à deux doigts seulement, il lui faudrait un coup de pouce supplémentaire pour que ces sentiments se transforment en acte. C'est le contraire de ces coucheries d'un soir où il y en a toujours un qui souhaiterait que ça se prolonge, que ça ouvre sur autre chose – Perrin voudrait que la séparation dure. Il en a soupé de ces journées de manque en définitive terminées par une razzia sur la schnouf amenant à terme de nouvelles journées de manque, et ainsi de suite, *ad libitum*, *ad nauseam*. Il lui faut une aide extérieure pour mettre un terme au processus mais il ignore laquelle, une intervention magique ou qu'il saurait rendre telle. La médecine ne suffit pas.

Pour tout ce qui est livraison, il voit souvent Kader sans Lusiau puisque le garçon vient lui apporter le petit paquet chez lui. Ils parlent un peu, comme avec un dealer, et d'autant plus qu'il y a leur complicité à trois, que Kader n'a pas à voir qu'avec la poudre mais aussi avec l'art. Perrin se soumet par politesse à ce qui demeure pour lui un protocole, à savoir que ce qui l'intéresse le plus une fois que Kader lui a procuré la marchandise, même s'il prend soin de ne rien en laisser paraître, c'est que le garçon décampe au plus vite. L'héroïne est une intimité amplement suffisante entre eux. Il suffirait que Kader arrive une seule fois sans poudre pour qu'il le trouve moins sympathique.

Cet après-midi, Kader lui parle de sa copine, qu'elle est enceinte et qu'ils ne sont pas prêts, elle doit avorter. Perrin écoute distraitement, il lui semble déchiffrer ce qui se cache derrière ses phrases : si Kader a beau poser parfois nu devant Lusiau et lui, qu'on ne s'y trompe pas, il est cependant un hétérosexuel de la plus belle eau. Des tapins l'ont habitué à ces comportements, des étudiants qui appellent leur copine avant d'aller au lit pour bien montrer qu'ils ne font ça que pour payer leurs études, leur goût est ailleurs. Mais Kader y revient au moment de partir, parlant de l'argent qui leur manque pour l'avortement, et il comprend qu'il a tout déchiffré de travers : en fait, l'autre veut du fric, plus que ne lui rapporte son trafic habituel. Perrin est décontenancé. Kader n'est pas un ami, juste un fournisseur, normalement il n'a pas à entrer dans sa vie privée, a fortiori financièrement.

– C'est très compliqué, dit le garçon comme si l'avortement était toujours hors la loi et que la seule ressource de sa copine était de s'en remettre à une faiseuse d'ange assoiffée d'or.

Perrin préférerait que, tout bonnement, les prix aient augmenté, ce serait plus clair. Cet épisode sentimentalo-économique le met mal à l'aise. Il sort cinquante euros de sa poche et les donne à Kader tout en disant qu'il est désolé. L'autre part enfin, personne n'est satisfait.

Le dimanche après-midi suivant, le plan est plus compliqué. Kader lui donne rendez-vous dans un bar derrière la place de Clichy où, pour une fois, Perrin doit avancer l'argent, l'autre l'y retrouvera une dizaine de minutes plus tard. Cette situation lui déplaît mais il n'a pas le choix. Il attend, un quart d'heure passe puis une demi-heure. Il ne peut pas ne pas faire le lien entre l'argent déjà lâché et ce retard inhabituel. Il hésite à rappeler Kader puis se décide, en vain. Il rappelle encore sans plus de succès. Plus d'une heure a passé quand il rentre chez lui.

Kader ne le rappelle que vers sept heures, alors que Perrin est chez lui avec un ami.

– Oui, ça n'a pas marché parce que c'est cinquante euros de plus. Si ça t'intéresse toujours, je peux passer en taxi en bas de chez toi dans dix minutes, dit sournoisement Kader car il est peu vraisemblable qu'un retard de plusieurs heures ait contribué à éteindre le désir de Perrin plus qu'à l'enflammer.

– Il y a un dealer qui doit passer en taxi dans dix minutes pour me rouler de cinquante euros de plus, dit Perrin à son ami.

C'est bien ainsi qu'il voit la situation mais il a besoin de cette héroïne, il descend un billet en main, au cas où. Kader passe à l'heure dite et empoche le butin supplémentaire, ne donne plus de nouvelles.

– Je crois qu'il t'en veut à cause du fric pour sa copine, lui dit Lusiau le lendemain. Je lui ai dit que vous n'étiez pas amis, que tu n'étais tenu à rien, mais il t'en veut.

Il y a toujours la possibilité de donner l'argent à Lusiau, pour qu'il fasse double commande. La dignité l'interdit, soit, mais c'est être trop gourmand que vouloir cumuler dignité et toxicomanie. Perrin rappelle Kader le lendemain, qui lui répond enfin pour l'envoyer se faire foutre. Il se résout au manque, c'est l'occasion qu'il attendait. Même s'il rappelait honteusement, il n'y a plus rien à attendre de Kader, sinon la certitude qu'il ne se manifestera plus. En outre, rapidement, ça ne se pose plus même via Lusiau.

Les préparatifs de l'exposition ont maintenant bien avancé et un contretemps inattendu est survenu. Tel un personnage d'autofiction qui réclamerait son dû financier, des droits d'auteur en tant que personnage, le portraituré veut soudain sa part des bénéfices de l'expo. Lusiau refuse par principe. Ça ne concerne que les deux dernières œuvres de l'ensemble et c'est lui l'artiste. Le directeur de la galerie remet Perrin dans le coup car il se trouve que le protecteur de Kader est une ancienne relation à lui, ils ont eu le même amant il y a quelques années. Comme il est devenu impossible de discuter avec Lusiau que la situation met hors de lui, Perrin est tout trouvé comme intermédiaire.

– Je ne dis pas que Kader était un jeune homme modèle que Lusiau a fait tomber dans la drogue, certes non, Kader n'a eu besoin de personne, dit le type qui a dix ans de plus que Perrin. Mais Lusiau a été bien content de le trouver pour avoir son héroïne et bien travailler. Il l'a fait poser avec garrot et seringue, il s'est servi de son expérience de drogué. Ça me semblerait légitime qu'ils puissent transiger sur une somme correcte.

Ce sera le cas sans que l'intervention de Perrin ait servi à quoi que ce soit, le directeur de la galerie se révélant l'interlocuteur le plus adéquat en tant que bailleur de fonds.

Durant la conversation, Perrin ne sait plus où il en est, n'arrive pas à se dépêtrer de l'atmosphère implicite d'homosexualité et d'héroïne, ignore si le protecteur de Kader l'identifie lui-même comme un drogué ou pas, de même que Perrin ne connaît pas le taux d'héroïne dans le sang de son interlocuteur. Le soir où ils se parlent, ça fait huit jours qu'il en a été réduit à ne pas toucher à la poudre, le temps du manque physique est largement dépassé. Il n'y a pas moins héroïnomane que lui, aujourd'hui.

En manque, il compte les heures. À la longue, il a mis sur pied une stratégie qu'il arrive enfin à respecter. Son estimation est qu'il faut cent heures, soit quatre jours arrondis au plus haut, pour que les pires effets disparaissent. Après ce laps de temps, demeurent les ravages psychologiques mais son corps, au moins, ne le fait plus souffrir. Les nuits sont l'enfer, à se torturer plutôt que dormir. Il prend son avant-dernière dose en fin d'après-midi, de sorte de dormir le premier soir, encore un soupçon sous l'effet, et que sa bonne nuit vaille comme premières heures de manque qui ne lui auront rien coûté. L'inconvénient est qu'il est mal dès le réveil, avec en outre la perspective d'une journée horrible terminée par une nuit de cauchemar éveillé. Mais bon, toutes ses forces sont bandées contre ça, il s'y attend et le matin suivant finit bien par arriver. Là, son état est déplorable, il est déjà affaibli, abattu, et c'est le comble du manque. Mais sa stratégie consiste à s'être gardé une dernière prise pour la soif, si bien que la journée peut commencer de façon aussi épouvantable, il sait qu'elle se terminera autrement. C'est une simple ligne qu'il a mise de côté pour le soir, assez riche pour lui assurer quelques bonnes heures de répit et assez pauvre pour ne pas remettre en cause le travail de dépossession déjà effectué : juste il dort et, quand il se réveille le matin, il est ni plus ni moins dans le même état que la veille avant sa toute dernière prise, avec juste des heures de repos à se requinquer derrière lui.

Le risque est que, la ligne gardée pour plus tard, il l'utilise trop tôt. D'autant que, dans ce cas, privé d'espoir, sa stratégie mise à bas, fût-ce par lui, il se sent autorisé à tout reprendre à zéro, c'est-à-dire faire une nouvelle commande et remettre à un autre jour une nouvelle tentative. Cent fois sur le métier remettez votre sevrage.

En l'occurrence, Kader évaporé, les ponts coupés avec d'autres dealers car il a demandé à Lusiau de ne plus lui fournir ni marchandise ni information, il la respecte, sa ligne, à savoir qu'il ne la prend qu'au moment prévu conformément à celle qu'il a édictée. Il a l'air de s'en sortir, cette fois-ci, ainsi qu'en de nombreuses autres occasions, au demeurant, qui ne se sont donc pas révélées décisives.

Les cent heures sont largement passées quand il se retrouve dans le cabinet du docteur Darboy à qui il raconte la situation, s'appesantissant sur l'escroquerie dont il fut la victime en partie consentante (consentant malgré lui : il aurait adoré que Kader lui rapporte de la poudre tout en voyant les bénéfices à tirer de l'inverse, mais des bénéfices à moyen et long terme et il est d'abord dans un état à préférer le court).

– En fait, il y a des moments où je préfère dépenser de l'argent pour ne pas prendre d'héroïne plutôt que pour en prendre, dit-il au médecin, heureux de faire cette découverte.

– Ce n'est pas la première fois que vous me dites ça, répond-elle.

Ça le désarçonne parce qu'il croyait être déjà plus loin que jamais dans sa désintoxication. Ça veut dire que les cent heures de souffrance puis de guérison purement physiques ne suffisent pas, la guerre psychologique peut durer des semaines, des mois – il se force à stopper là l'énumération de crainte que la simple image de l'ampleur de la tâche lui interdise de l'effectuer. Heure après heure, c'est la meilleure unité de compte, comme les tennismen essaient de reprendre le contrôle d'un match point par point. Ce que lui découvre, le docteur Darboy le sait depuis belle lurette.

Pour bien vivre à deux, vivre à trois n'est-il pas l'idéal ? Enchaînés par l'héroïne, on forme un vrai couple libre.

Perrin ne fréquente plus Charles et Anna mais leur image demeure en lui. Ils se sont rencontrés au lycée, ont plongé ensemble dans la poudre et ne se sont jamais quittés, ni elle ni l'un l'autre. Pour se séparer, il faut une énergie différente de ce qu'apporte l'héroïne. Ils se piquent ensemble de toute éternité, leur vie est sur des rails.

Il y a des moments où il les envie. Mis au courant de leur situation, le reste du monde inclinerait plutôt à leur offrir sa compassion condescendante mais lui ne s'arrête pas à ça. Un couple qui ne s'est pas rencontré par l'héroïne et cependant perdure grâce à elle, a atteint cette intimité consistant à se piquer ensemble. Non seulement ne pas s'isoler pour cacher l'existence d'une prise mais même pas pour cacher la seringue et le garrot, le bras nu, l'aiguille, la veine, la première respiration, le premier soupir, premier sourire d'après injection.

Perrin les envie bien que ce soit ce qu'il ne veut pas. Si, accroché jusqu'au cou, il n'est pas réellement un toxicomane – si ça pouvait être vrai ! –, c'est qu'il n'est pas accroché jusqu'au cou. Ça le dérange de passer son temps avec des amoureux à qui il doit cacher une part si prépondérante de son activité mais ce dérangement permanent ne peut pas non plus être un hasard. Puisque lui-même a tant de mal à garder la mesure, il faut compter sur les autres pour l'y forcer. À discuter seulement entre héroïnomanes, il sait que chacun rivalisera de raisons de ne pas arrêter maintenant ni maintenant ni maintenant. Comme Lusiau lui a dit un jour : « Il faut laisser tomber, et le plus tôt sera le mieux », avant d'ajouter en sortant son petit paquet : « Tu en veux? » « Si l'héroïne est aussi malsaine qu'on le dit, on hâte sa mort en en prenant, et donc plus on en prend et moins il y a de risques d'en manquer un jour » : c'est un aphorisme que Lusiau, encore lui, lui a sorti un jour en riant et qui ne l'a pas trop amusé car la mort ne l'amuse pas. Il n'aimerait pas que l'héroïne soit malsaine, c'est un truc à lui gâcher les prises. Quels que soient ses effets à long terme, souvent elle donne bonne mine. Charles a dix ans de moins qu'une minute plus tôt, après son fix. L'œil n'est pas vif, certes, mais on ne vit pas pour la vivacité de son œil.

Comment font-ils l'amour, Charles et Anna ? Ils expédient ça le plus vite possible parce que l'acte suivant à commettre sera se piquer et que plus tôt ça arrive et mieux c'est, ou traînent-ils, sereins, assurés que dès que ce sera fini ils auront encore du bon temps devant eux ? Ou traînent-ils, angoissés, parce que le plus vraisemblable est que Charles, plus avancé qu'eux dans la défonce, subisse les mêmes effets que Lusiau et lui ? Il a en tête tous les héroïnomanes mâles de l'univers qui apprennent à dealer avec l'impuissance. C'est ça aussi, l'héroïne, une bonne raison d'être impuissant.

Pourquoi ne plus prendre d'héroïne ? Parce qu'il n'en veut plus. Comme tous les couples : un jour, on se demande pourquoi on reste ensemble. Pas pour les mêmes raisons qu'au début, en tout cas. Un jour, c'est fini, comme quelqu'un en analyse depuis des années soudain ne remettra plus les pieds chez son analyste, quand bien même ce serait dorénavant lui qu'on paierait. Perrin en a terminé avec le désir de poudre mais pas avec la poudre, ainsi que, en plein divorce d'amour, on a mille choses à régler qui empirent la situation.

Lusiau lui raconte cette histoire drôle. Un vieux couple, très vieux, centenaire, se retrouve chez un avocat à qui chacun confie son intention de divorcer. « Vous êtes sûrs de vous ? » dit l'avocat. « Naturellement, dit la femme. Je ne supporterai pas une seconde de plus ce porc puant, ce pervers imbécile et hypocrite dont la seule présence me dégoûte. » « Naturellement, dit l'homme. Je ne supporterai pas une seconde de plus cette horreur paresseuse et répugnante dont la proximité me tue à chaque instant. » « Soit, dit alors l'avocat, je vois que vous êtes déterminés. Permettez-moi cependant de vous poser une question à tous deux : madame, vous avez cent quatre ans, monsieur cent un, pourquoi diable, si tels sont vos sentiments l'un à l'égard de l'autre, est-ce seulement aujourd'hui que vous décidez de divorcer ? » Et les deux vieux d'une seule voix : « On a attendu que les enfants soient morts. »

Perrin a peur que ce soit ce qui est arrivé, qu'il lui faille attendre que les enfants soient morts pour que sa vie puisse enfin commencer. Les enfants : son existence réelle, naturelle, qui n'aurait rien à voir avec celle, artificielle, qu'il mène depuis qu'il s'est maqué avec la poudre. Il soupçonne soudain un réseau de vies parallèles (celle des autres et la sienne, la véritable sienne et celle dans laquelle il est pris) qui ne se rejoindraient qu'à l'infini. Il n'aurait jamais dû se marier avec l'héroïne mais une passade de jeunesse n'a pas à diriger éternellement sa vie. Même un être humain, on est en droit de s'en débarrasser après des années de vie commune, alors un produit chimique. Mais la poudre, il ne se sent pas de la jeter comme une malpropre : qu'elle les mérite ou non, elle impose des égards. Il en a trop vu, des qui font les fiers et qu'il retrouve suppliants. Regarder l'avenir en face, c'est déterminer comment il va arrêter, pas comment il a commencé

– tant pis si les deux sont liés, on ne peut pas lui réclamer tous les efforts à la fois.

Le ressassement : si c'est ça la vie de couple, alors il est vraiment en couple avec l'héroïne. Quand il va chez des amis mariés ou tout comme, c'est une des choses qui le frappent le plus : la répétition des mêmes récits faits par l'un et que l'autre doit écouter à travers les siècles, cette mise en scène compulsive de leur situation amoureuse. Comme tout le monde, il l'a entendu mille fois, qu'il faut faire des concessions pour vivre à deux, et lui trouve alors que la vraie concession est vivre à deux. Il l'a concédé à l'héroïne.

Comme dans ces couples où un seul conjoint travaille et où l'autre doit respecter à la fois son travail et son repos. Le travail de l'héroïne : en être plein, en être vide.

Il faut qu'il ait vraiment, continûment envie de ne pas prendre d'héroïne parce que c'est le seul mobile pour ne pas en prendre. S'il essaie de raisonner, il tombe toujours du mauvais côté. L'intelligence est une ennemie. Il est soumis aux clichés sur les drogués : puisqu'il prend de l'héroïne, il est un héroïnomane, parfois avec la vision culte qui y est attachée, la magie, la rébellion, l'inaliénable individualité. Ce n'est pas pour rien qu'il y touche : tous les proches qu'il ne supportera plus s'il est clean – qui pâtiront du changement de rapport induit. Ce que la drogue l'aide à supporter, il ne le supportera plus – eux n'ayant pas changé, il n'en voudra plus. Si tout le monde prenait de l'héroïne, les héroïnomanes se sentiraient de plain-pied avec les autres (mais avec soi-même ?). Il jongle avec l'amour, ça devient trop difficile, il va louper son numéro. Il faut qu'il soit capable de supporter la vie sans aide extérieure, par sa seule force propre, comme si supporter la vie était forcément une bonne nouvelle, que ça signifiait seulement s'accommoder de la sienne et non, aussi, de fil en aiguille, supporter celles de tous ses contemporains, des misérables des cinq continents, des enfants battus mourant de faim.

Il s'est toujours opposé à ceux qui assimilent l'héroïne à la dépendance à l'héroïne et un jour c'est lui qui ne fait plus la différence et se force à se tenir à cette nouvelle vision. D'un autre côté, cette dépendance s'oppose à l'indépendance mais également à la domination, puisqu'on a la liberté de choisir son maître.

Arrêter, c'est aussi une défaite, c'est rentrer dans le rang – avec la dégoûtante satisfaction, la haïssable fierté de rentrer dans le rang. Ne pas être héroïnomane, a-ce jamais été un rêve d'enfant ?

Ça ne va pas, lui et le monde, et chacun sait comme il est difficile de se changer soi-même, alors mieux vaut changer le monde ou la perception qu'il en a. L'héroïne ne donne pas un sens à son existence mais une vie à sa vie.

En prendre pour l'éternité, soudain c'est écœurant – mais ne pas en prendre pour l'éternité ? S'en priver à jamais ? Quelle idiotie, aussi, quelle honte.

Tous les couples ont leurs problèmes. Mais combien de séparations où au moins l'un des deux tente : « Restons amis. » Certes, il ne suffit pas d'une phrase pour que ça se réalise mais quelqu'un l'a tenté. Là, il faut dire : « Restons ennemis. » Il faut que pas une seconde il ait la moindre nostalgie de cette histoire, que sa partenaire disparaisse dans un puits sans fond, réintègre un vide qu'il n'aurait jamais fallu qu'elle quitte. Elle est comme la vamp des films noirs que le héros n'aurait jamais dû rencontrer et dont il n'arrive pas à se débarrasser, qui le conduit à sa perte, dont il n'est délivré que par la déchéance ou la mort. L'héroïne ne parle pas et c'est pourtant elle qui dit : « Restons amis. Qu'est-ce qu'on risque ? Quand tu veux partir, tu pars. » Il entend : « Je ne te retiendrai pas », dont il connaît toute la fausseté. Le combat contre elle est faussé parce que lui est un être humain, la psychologie l'érode.

Il calcule les heures depuis sa dernière prise, depuis qu'il est en manque, et l'idée que ce calcul sera sans fin est accablante. Il ne doit plus jamais en prendre, à quel moment alors arrêter de compter ? C'est pour combler un manque qu'il prend de l'héroïne – il est prêt à concéder cela aux psys de tous poils – mais, s'il n'en prend plus jamais, l'héroïne elle-même sera un manque, cette capacité évaporée à vivre des instants merveilleux sur commande. Au moins, il n'aura plus à s'interroger sur les origines de ce manque, sa définition précise : ce sera tout simplement l'héroïne qui lui manquera au fil des années plus que n'importe quoi, ce sera on ne peut plus clair.

S'il était riche à millions, serait-ce aussi nécessaire d'arrêter ? Le problème de l'héroïne, est-ce l'héroïne ou les amours, les amis, l'argent ? Est-ce si important que ça, l'amour, l'amitié, l'argent ? Est-ce que tout ça n'est pas à mettre dans le même sac ? Il a vu ce que ça durait, l'amour de sa vie.

Et le reste des habitants de la planète, il ne leur suffit pas de ne pas se gaver d'héroïne pour prétendre qu'ils ne sont pas dépendants. De leur famille, de leur travail, de leurs amours, de leur argent. Ainsi est organisé le maillage de leur vie et s'ils sautent une maille, tout se déchire. Brusque inutilité de ce dont ils sont toujours dépendants : du travail quand vient chômage ou retraite, de la famille quand arrive divorce ou deuil, de l'amour au moment de la séparation. Il y a des gens pour être dépendants de leurs angoisses, c'est mieux que rien et ça leur économise d'aller voir des films d'horreur, d'autres pour l'être du souvenir d'un mort, ou d'un enfant, d'un amour, d'un chien. Sans compter la dépendance des traders du sexe jetés dans cette compulsion, au moins un partenaire par jour sinon ça ne va pas, puis au moins deux, au moins trois, jour après jour. Ça ne se fait pas, d'être dépendant du cul ? C'est préférable de l'âme ?

Il faut continuer à ne pas en prendre parce que tant d'heures, de jours, de semaines sont déjà passées sans qu'il en ait pris. Combien de choses dans la vie découlent de ce principe, combien de destins, combien de couples où la durée détruit un lien tout en en créant un autre. Mais, avec l'héroïne, la dépendance n'a pas d'autre nom que dépendance : jamais on ne la nommera conscience professionnelle, passion, fidélité. Et l'accro au jeu quand il devient millionnaire, il n'est pas simplement riche ?

Il raisonne mais les conclusions de ses raisonnements tirent dans les deux sens, l'ironie ouvrant le champ des interprétations. Il faut qu'il pense à autre chose pendant qu'il arrête, mais penser à autre chose c'est sa vie telle qu'elle devrait être et pas telle qu'elle est, c'est précisément pour mieux y arriver que se goinfrer d'héroïne a un sens. Il redoute toujours la paresse de sa pensée qui lui éviterait de s'opposer non pas tant aux autres qu'à lui-même, cette pensée dont il faut toutefois souhaiter la paresse au cas où, en pleine forme, elle contribuerait à l'isoler non seulement du monde mais de l'héroïne même. Que vient faire la pensée quand la désolation du manque submerge tout, physique et mental ? Qu'est-ce qu'elle se croit, la pensée ? Elle s'imagine qu'on se sépare de l'héroïne avec de bonnes idées ? Elle en a d'efficaces pour qu'il ne souffre pas quand il a mal ?

Les reproches que ceux qui l'en savent proche lui font à propos de l'héroïne l'entretiennent dans sa confusion. On lui fait parfois grief que ça ne colle pas avec son mode de vie, que ça l'empêche de faire la carrière qu'il mérite, bridant son arrivisme, comme si de la coke qui l'emmènerait de succès en succès serait plus justifiée. Et d'autres lui en veulent de l'inverse, cette addiction sans pleine déchéance, qu'il usurpe le nom d'héroïnomane quand on pense à tous les misérables contraints au vol et à la prostitution à qui il s'applique de plein droit. S'il chopait une saloperie avec une seringue, peut-être qu'alors il rattraperait ce décalage social.

« On voit que tu n'as jamais manqué de rien », lui dit un collègue un jour que Perrin faisait contre mauvaise fortune bon cœur, prétendant se ficher que son augmentation contractuelle ait pourtant été retardée. Et de fait il s'en fiche parce que ce qui compte pour lui ce jour-là est l'héroïne qu'il n'a pas sous la main, ce dealer disparu, le vide devant lui. Et il ne s'en fiche pas du tout parce que, dans sa détresse du jour, cette nouvelle fait boule de neige, devient un drame épouvantable, comme si le moment allait venir où même s'il retrouvait un dealer il n'aurait pas de quoi commercer avec, comme si cette non-augmentation avait été prise pour une bonne raison, que jusqu'au ministère il y avait eu quelqu'un pour trouver qu'il était la dernière personne à gratifier du moindre sou supplémentaire, quand bien même il y a droit, qu'il est entré de plein gré dans cet enfer de l'enseignement supérieur et que c'était une erreur fatale, qu'au fond personne ne veut de lui là-bas, que, héroïne ou pas, il y est un paria.

« On voit que tu n'as jamais manqué de rien » : ça lui fait plaisir aussi d'être si pudique, si habile.

Mais il ne voit pas comment il pourrait y arriver, à ne jamais manquer de rien, ou même simplement à ne jamais manquer d'héroïne, sacrifiant dans son imagination amis, amour et argent. Il juge de bonne guerre d'avoir décidé d'arrêter la poudre, noble et judicieux but sur lequel il ne revient pas, mais pourquoi définitivement ? De même qu'il se garde une petite ligne pour bien passer sa deuxième nuit de manque et se ragaillardir, il pourrait s'autoriser une éventuelle prise à Noël ou au 1er janvier, pour son anniversaire, afin que la rupture ne soit pas trop brutale, comme un des deux amants qui rompent est toujours partant pour un dernier coït. Cette perspective entretiendrait son espoir et rendrait donc l'abandon de l'héroïne plus facile, si ce n'est pas entièrement un abandon. Mais ce qu'il comprend de tout son corps et tout son cerveau est qu'il faut anéantir tout espoir pour mieux accueillir le désespoir. Il ne peut pas faire l'économie de la déroute. Il y a eu des moments où c'était une victoire de se droguer et il est en plein dans d'autres où c'est une victoire de ne pas le faire. Ce serait une défaite de prendre de l'héroïne mais il est dans un état où, encore plus fort que le Kim de « Tu seras un homme, mon fils », il se croit capable d'accueillir la défaite avec plus de sérénité que la victoire.

Il a lu cette phrase dans une enquête sur le suicide des enfants et des adolescents : « Je me suiciderais bien mais j'ai peur de le regretter. » Et il lui a semblé que, s'il n'y avait que les enfants et les adolescents pour le formuler ainsi, cette phrase disait aussi bien le quotidien de son âge adulte. Il se met en tête qu'il se suicide un peu à chaque prise, la progressivité lui permettant de ne pas avoir à regretter exagérément puisqu'il y a toujours moyen de faire machine arrière. Mais arrêter n'est pas faire machine arrière, c'est freiner en cours de route, stopper. Parfois, c'est de ne pas se suicider qu'on a peur de regretter.

Après chaque prise d'otage, les médias évoquent, telle une anomalie, le syndrome de Stockholm face aux prisonniers rendus à la liberté qui persistent à épouser la cause de leurs ravisseurs quand ceux-ci ne les y forcent plus. Ça lui est très familier, à lui, quand il se sépare de l'héroïne et il se demande même si ça vaut le coup de payer la rançon jour après jour, si cette vie à la merci de la drogue était moins excitante que la même avec juste le paradis artificiel en moins. Se sentir otage n'est certes pas gratifiant mais l'héroïne est un meilleur ravisseur que la famille ou le boulot.

Dit-on jamais à un proche qui s'est mis en couple : « Quoi ? Déjà un an ? Méfie-toi. Tu risques de ne jamais plus pouvoir t'en débarrasser » ? Il y a des gens pour tolérer la psychanalyse en prétendant que de toute manière c'est intéressant, instructif pour celui qui s'y soumet : et l'héroïne, ce n'est pas passionnant de se documenter sur soi ? Le problème est d'être trop consciencieux.

Perrin connaît des héroïnomanes pour qui le vomissement est attaché à leur drogue : ils en prennent tous les jours depuis vingt ans, depuis vingt ans ils vomissent tous les jours, comme Jacques Brel racontait qu'il avait fait avant chaque tour de chant. Lui n'a jamais vomi et soudain il le regrette. Les spasmes lui manquent maintenant qu'il a un dégoût psychologique qu'il ne sait pas comment exprimer. Mais il ne faudrait pas non plus qu'il vomisse juste parce qu'il est la personne qu'il est.

Si chaque jour passé sans héroïne est un bénéfice, il a une excellente raison de vieillir.

⋆

Il est seul chez lui un soir, s'ennuie, il n'en peut plus de son appartement – le genre de soirée que l'héroïne aurait transformée, son appartement aurait été le refuge idéal à préférer à tout autre pour profiter de la douceur du monde. Plutôt être le premier chez soi que le second à Rome, plutôt jouir d'un monde étriqué que souffrir d'un immense, ouvert à tous gens. Mais non, l'héroïne est hors du jeu, ce serait trop bête de l'y réintégrer après toutes ces semaines, toutes ces souffrances. Trop bête et trop compliqué, il n'a plus de coordonnées de dealers sous la main.

Il sort dans un bar gay, qu'au moins l'absence d'héroïne se tourne en bénéfice en facilitant ses performances. Il tombe sur un garçon qu'il a déjà remarqué plusieurs fois sans jamais l'aborder et, ce soir, l'aborde. Après quelques mots où il a dû décliner son identité professionnelle, le garçon qui s'appelle Dimitri le prend pour un vrai universitaire et n'est pas intéressé par la corporation. Perrin récrimine contre ce racisme particulier.

– J'ai eu un copain prof de fac, et à la Sorbonne, dit Dimitri. Quand je voulais un livre, il m'offrait un livre, et quand je voulais de la poudre, il m'offrait aussi un livre, souvent agrémenté d'une sérieuse conversation. Merci bien.

– Tu veux dire de l'héroïne, dit Perrin, apeuré et joyeux d'y être à nouveau confronté.

– Tu en as ? dit Dimitri prêt à changer d'opinion sur son interlocuteur.

– Je peux peut-être en avoir, dit Perrin parce que le garçon est beau, jeune, appétissant.

– Tiens donc, dit Dimitri.

Le jeune homme n'a évoqué l'héroïne que pour se débarrasser avec condescendance de Perrin mais si une occasion inattendue se présente, parfait.

– Juste là, à cette heure-ci, je ne sais pas trop bien où en trouver, dit Perrin comme si son dealer ne recevait que de neuf heures à midi et de quatorze à seize, les jours ouvrables.

– Au Café Jaune, à cinq minutes, c'est bien rare qu'on n'en trouve pas, dit Dimitri.

Perrin se souvient de cet endroit, il n'y est jamais allé lui-même mais a attendu deux ou trois fois à l'extérieur un ami qui avait besoin d'un dépannage urgent.

– Tu viens avec moi ?

– Ah non, ce serait trop facile, dit Dimitri comme si, une fois sorti de ce bar-ci, il serait une proie sans défense pour n'importe quel lit.

Ça arrange Perrin d'y aller seul, c'est plus facile pour ne pas y aller. Dans la rue, avec l'air frais qui fouette les esprits, il est obligé de réfléchir. Il se retrouve dans un dilemme moral tel le capitaine Haddock avec sa barbe au-dessous ou au-dessus des draps : où est sa vertu ? À niquer un jeune homme ou à se taper de la poudre avec ? Lequel des termes de l'alternative est plus conforme à son éthique personnelle ? Alors qu'il a peur que Dimitri ne soit plus dans le bar à son retour, il imagine aussi de ne pas y retourner lui. Mais ce choix de la fuite est désormais indépendant de la visite ou non au Café Jaune. Il peut ne pas se procurer d'héroïne mais, s'il s'en procure, il est libre de se la garder toute pour lui ou de la partager avec un amant qui n'en sera peut-être pas un s'ils partagent trop.

Il entre au Café Jaune, s'approche du comptoir pour commander tout en cherchant le coin où ça deale, il espère que ce sera moins compliqué que quand il a zoné avec Lusiau. Mais, avant qu'il ait pu dire et voir quoi que ce soit, un Maghrébin quinquagénaire se dirige vers lui et le gifle. D'autres Maghrébins maîtrisent l'agresseur tout en faisant signe à Perrin de quitter les lieux, comme s'il ne fallait pas provoquer davantage le fou qui l'a attaqué, ce à quoi il obtempère. L'air du dehors lui refroidit la joue.

Il a pris une fameuse claque. Maintenant, il a envie de retourner au bar indépendamment de Dimitri avant de rentrer chez lui, ça lui sera un environnement plus chaleureux que la rue. Il a un peu honte de revenir démuni vers le garçon mais ce n'est pas lui qui a choisi. Il lui raconte la scène et Dimitri acquiesce, ça n'a pas l'air d'être la première fois que ça se passe ainsi. Le Café Jaune est un café dans lequel on n'entre qu'à ses risques et périls si on n'y a pas été introduit.

– On sera mieux chez toi, dit Dimitri en lui passant une main dans les cheveux comme il aurait été plus normal que lui fasse, le privilège de l'âge.

Chez Perrin et tout au long de la nuit, l'absence d'héroïne est un bonheur. Mais sûrement que sa présence en eût été un autre, a fortiori au matin.

Serait-ce vertu que tendre l'autre joue ?

*

La MDMA, cet ancêtre de l'ecstasy utilisé pour rapprocher les vieux couples, à quoi sert-elle si même les vieux couples se séparent ? Tout se désagrège et c'est aussi une bonne nouvelle. Perrin ne sait pas pourquoi ni comment mais il arrête, avec la poudre. Peut-être parce qu'il a fait une overdose, pas celle qui vous tue sur place quand la seringue est trop chargée mais une overdose temporelle. Il y a trop de temps qu'il en prend trop, en fait ça ne marche pas, il faut essayer autre chose. En fait ça ne marche plus. De nouvelles vies s'offrent à sa vie. Certes, un confort l'abandonne mais il paraît que c'est très plaisant aussi, la jouissance pleine et entière.

UN CAMAÏEU D'ADDICTIONS

L'héroïne a disparu entre Lusiau et Perrin ? Ils se débrouillent autrement et la relation y survit. Il y a plusieurs mois – années ? chacun ne sait que pour soi – que l'un et l'autre ont décroché quand Lusiau reçoit son ami au Brésil. Il est à São Paulo, convié par la biennale dans un hôtel luxueux, et aussi l'invité des services culturels français qui profitent de sa présence pour organiser diverses manifestations, de sorte qu'il a accepté d'être là-bas pour deux mois, n'ayant d'abord vu que les charmes d'un pays présumé paradisiaque pour un touriste qui est ce qu'il aspire à demeurer malgré ses obligations. Au bout d'une semaine d'hiver là-bas, il s'ennuie à mourir et se met à l'affût du moindre incident pour se fâcher et rentrer aussi sec à Paris. Perrin se récrie au téléphone, craignant que son ami ne se grille et met en avant la chance que c'est d'être au Brésil, dans ces conditions.

– Eh bien, viens, si c'est tellement bien, dit Lusiau. Tu n'as à payer que ton billet d'avion, j'ai une chambre à deux lits et même les repas du conjoint sont pris en charge.

Perrin ne savait pas où partir dix jours en vacances, voici la question résolue.

Onze heures d'avion, c'est éprouvant, sans compter qu'il faut encore passer le contrôle des passeports, récupérer sa valise et subir la douane avant de prendre un taxi pour l'hôtel. L'aéroport est loin, la route encombrée, au bout d'une heure dans la voiture Perrin n'est toujours pas arrivé. À son énervement se mêle la crainte d'être roulé, fréquente dans les taxis des pays inconnus, comme si le chauffeur s'ingéniait à rallonger la route pour faire tourner le compteur. Perrin serait prêt à lui dire qu'il est d'accord pour payer le tarif maximal mais, au contraire, arriver au plus vite. Comme d'habitude, il ne voit pas d'inconvénient psychologique à être roulé s'il en tire un avantage concret.

Il sort enfin du taxi après avoir payé un prix raisonnable et son exaspération et sa fatigue cumulées s'atténuent dès qu'il entre dans le hall somptueux de l'hôtel qui semble bien un rêve de touriste. Il a encore l'inquiétude de s'expliquer à la réception dans une langue inconnue – somme toute, il est juste un client qui n'a pas de réservation ni l'intention de payer un sou – mais, avant qu'il l'ait atteinte, Lusiau a déjà surgi. Joie réciproque.

– Tu as maigri, dit Perrin.

– Pourtant, j'ai pris quelques grammes, dit Lusiau en reniflant significativement.

Mais oui, l'Amérique du Sud est le paradis des cocaïnomanes. Comme s'il n'avait encore en tête que l'héroïne vaincue, Perrin n'y avait pas pensé une seconde. La coke est un coupe-faim, pas étonnant que Lusiau ait maigri.

Celui-ci fait lâcher sa valise à Perrin, en plein milieu du hall, en disant quelques mots en simili-portugais au réceptionniste avec lequel il a de toute évidence noué des liens avec la même facilité qu'il avait – a encore ? – avec les dealers, et emmène son ami au sous-sol où sont les toilettes.

– Ça ne coûte rien, ici, dit-il en sortant un paquet plus gros que ceux de Brenda d'où il retire de quoi faire quatre solides lignes, une pour chaque narine.

Perrin se laisse brusquer. Quoique pas fanatique de la cocaïne, il admet que, épuisé comme il est alors que la journée commence à peine, c'est une bonne occasion de se requinquer. Et puis il y a quelque chose d'encore plus merveilleux avec la drogue quand on l'obtient sans aucune démarche. Et puis pourquoi se priver si c'est gratuit ? Lui-même paiera à bas prix la prochaine cargaison et tout sera O.K. Il sniffe et la vie devient plus vivante.

Vu son prix et le contact qu'a vite déniché Lusiau, il y a orgie de cocaïne. C'est comme si plus ils en prenaient et plus ils économisaient d'argent puisqu'elle ne coûte pas le dixième de ce qu'elle vaut en France. Bien sûr, à Paris ils n'en snifferaient jamais autant mais il faut bien que voyager ait des avantages. La coke nourrit aussi leur intimité, par le partage en soi, ces prises en commun, et parce qu'elle libère la parole, multipliant les blagues et les aveux. Le cul est le sujet favori de Lusiau, il prête tant aux aveux et aux blagues.

L'artiste raconte des histoires de putes, comme c'est facile d'en trouver et comme l'hôtel ne fait pas d'histoires si les affaires sont menées avec discrétion et générosité. Elles aussi sont hyper bon marché – et très compétentes, plus soumises à l'argent qu'aux préjugés.

– Il y a des garçons aussi, si ça te dit.

Le sexe redevient un enjeu. Avec l'héroïne, ils pouvaient avoir toute l'intimité qu'ils souhaitaient, ça ne se posait pas ; la cocaïne n'interdit rien. Depuis l'arrivée de Perrin, Lusiau n'a encore ramené personne dans sa chambre. Il y a bien deux lits mais être deux ne facilite pas les choses, surtout si l'un ne participe pas. En outre, maintenant qu'il n'est plus seul, baiser est une moindre préoccupation.

– Non, non, dit Perrin, apeuré qu'alors Lusiau se mêle.

L'autre n'insiste pas, aussi bien ce n'était qu'un sujet de conversation.

Il fait beau, ils sont au bord de la piscine d'où ils ne s'absentent même plus pour sniffer, il n'y a pas de vent et il suffit de s'enfouir un instant dans la serviette fournie par l'hôtel pour être raisonnablement caché aux regards. Ils ne sont pas les premiers touristes à profiter du lieu.

Lusiau a une dizaine de jours quasi libres. Il a rempli toutes ses obligations envers les organisateurs de la biennale et, la semaine suivante, partira un peu partout dans le pays en tournée de rencontres avec le public francophone ou amateur d'art où il ne s'agira que de répondre à des questions. Entre-temps, il n'a presque rien à faire à São Paulo. Il a refusé de déménager de son hôtel de luxe choisi par la biennale que paient maintenant les services culturels français, le billet d'avion n'ayant pas été à leur charge.

– Ce n'est pas juste que les filles sont magnifiques, c'est qu'elles sont dégourdies, dit-il en en revenant à son sujet favori. Des trucs dont je n'oserais même pas parler à Ninon, elles les font sans que j'aie à demander.

Il se sent comme un roi, objet de toute considération sociale et sexuelle.

– Je leur offre toujours un peu de coke avant et elles ne refusent jamais, ça met tout de suite une bonne ambiance. J'espère que les services culturels s'occuperont des filles et de la coke partout où ils m'emmèneront, sinon ça risque de mal tourner.

J'en ai parlé à un type du consulat mais j'ai peur qu'il ait cru que je rigolais.

– Tu as Ninon tous les jours au téléphone ? dit Perrin, estimant de son devoir de la lui remettre en mémoire autrement que pour la comparer désavantageusement à la première prostituée venue.

– Oui, je l'appelle tard, avec le décalage, quand elle se couche. Comme ça, je sens si elle est seule ou pas. Il ne manquerait plus qu'elle profite que je ne sois pas là pour me faire cocu, la salope.

– Attends, dit Perrin du haut de son homosexualité. Toi, tu trouves normal de coucher tous les soirs avec une nouvelle fille et tu ferais un drame si elle se payait un mec ?

– Ben ouais, dit Lusiau en riant.

Il n'a aucune prétention à l'honnêteté ou l'égalité, la parité. Ça ressemble à une conversation sur l'héroïne où on sait bien qu'on ne doit pas en prendre mais, malgré tout, on va en prendre.

– Putain, précise Lusiau dont la coke multiplie les capacités inventives, c'est ça, un couple : dès que tu es éloigné de ta copine, tu cherches à baiser. Tu n'es pas obligé de rentrer dans ton lit le soir, tu serais trop con de ne pas en profiter.

– Et Ninon alors, pourquoi elle n'y a pas droit ?

– Parce que c'est une fille, tu ne peux pas comprendre. On s'en reprend une petite ?

Et ils se rechargent les narines. Dès que l'un propose, l'autre suit et ils proposent sans cesse.

– En France, tu ne trouves pas une qualité comme ça, dit Lusiau.

– Tu parles des putes ou de la coke ?

– Les deux, se marre Lusiau. En plus, il y a ça, avec les putes, qu'elles sont enchantées que tu prennes la coke avec elles. Jamais d'histoires.

– Alors, les putes, c'est l'idéal pour la vie de couple, dit Perrin qui est bien parti aussi.

– Je ne sais pas si c'est comme vie de couple ou comme remède à la vie de couple mais c'est idéal.

– On dirait que le couple est une addiction pour toi.

– Et tu as beau être accroché, c'est quand même le manque le meilleur, dit Lusiau toujours rieur.

Discuter est un jeu de cocaïnomanes et pourtant il semble à Perrin qu'ils ont trop longtemps fait ça, une concession douce et fondamentale, vivre en couple avec l'héroïne. Et ils n'avaient pas les moyens de la rendre cocue ; elle, ce n'est qu'en la laissant tomber qu'on la trompe de sorte que les aventures extraconjugales n'ont pas de charmes.

Perrin a une amie qui vient de quitter son mari et lui a raconté que toutes ses amies l'ont trouvée folle de casser sans avoir quelqu'un d'autre, d'abandonner quelque chose, cette vie familiale avec trois enfants, pour rien. « Et moi je n'en pouvais plus, je trouvais au contraire que j'étais folle de rester », lui a-t-elle dit. Le monde est divisé en deux catégories : ceux que le manque terrorise et ceux à qui il fait quand même moins peur que l'addiction.

– C'était une bonne discussion, dit Lusiau. Mais on n'a plus que trois grammes, je vais rappeler Carlos.

Ils n'ont pas peur de la cocaïne, une simple addiction temporaire liée au Brésil. Ça ne coûte rien et ils n'ont rien d'autre à faire qu'en prendre, s'en gorger est même ce qui correspond le mieux à leur état actuel, ce qui prolonge le plus naturellement leur luxe inhabituel. À Paris, leurs occupations et inoccupations coutumières lui ôteront sa nécessité. Tant qu'ils sont loin de la France, lutter contre serait d'une immorale absurdité, comme lutter contre un plaisir sans conséquence. Car la morale est du côté du plaisir, non ? C'est vivre sa vie le mieux possible sans emmerder les autres, non ?

Une simple addiction mais une addiction. Temporaire, peut-être, mais ils sont dans le temps de sa toute-puissance. Carlos est introuvable. Il est bien le réceptionniste de l'hôtel à qui Lusiau a parlé le jour de l'arrivée de Perrin, mais il s'avère qu'il est en congé aujourd'hui et demain. Ça fait trop long, alors les grands moyens. Dans un étrange baragouin franco-anglo-portugais, Lusiau finit par obtenir d'un de ses collègues son numéro de téléphone et l'appelle. Et là encore, malgré la langue, ils arrivent à se mettre d'accord. Par malchance,

Carlos ne peut pas bouger de chez lui de l'après-midi mais Lusiau n'a qu'à passer avec l'argent si ça lui chante. Il a écrit l'adresse en phonétique, ce qui devrait suffire pour un chauffeur de taxi. Perrin l'accompagne, admiratif du mal que s'est donné Lusiau. Dans l'amour de la drogue, il y a aussi le respect et l'envie qu'un sentiment si fort suscite.

Le taxi comprend l'adresse mais le trajet est interminable. Pas de problème quand ils arrivent, Lusiau a le numéro de l'appartement, ils sonnent, c'est bien là. C'est curieux de rencontrer un employé de l'hôtel chez lui mais pas plus que de lui acheter de la cocaïne. La transaction se passe sans anicroche. Carlos ne voit pas d'inconvénient à ce qu'ils se servent sur place. Avant de partir, Lusiau lui demande d'appeler un taxi mais il explique que c'est impossible sans qu'ils comprennent pourquoi. Tant pis. Perrin et Lusiau sortent les narines pleines et le cœur léger.

Ils n'ont pas fait attention en arrivant mais, maintenant qu'ils marchent dans la petite rue où habite Carlos puis dans la suivante et encore une autre ruelle dans l'espoir de rejoindre une artère plus importante où il y aura une plus grande possibilité de trouver un taxi, il est clair qu'ils sont dans une zone paumée de São Paulo. Peut-être est-ce pour ça que Carlos ne pouvait pas appeler un taxi par téléphone, parce que le chauffeur aurait eu trop peur de se faire attaquer en arrivant. D'abord, ça les amuse, parce que la cocaïne est d'excellente qualité mais, dès qu'ils ont marché un moment et que l'effet va s'estompant, ils trouvent ça moins drôle. Une bonne ligne leur ferait le plus grand bien mais ce n'est pas commode de la prendre en pleine rue. C'est trop bête d'en avoir tellement sur soi et soudain si peu en soi.

Les imaginations paranoïaques induites par la coke leur font craindre d'être volés, agressés, assassinés. Quand ils voient un sigle annonçant des toilettes publiques, ils s'y précipitent. L'endroit est immonde, puant. Il y a quatre cabines toutes occupées et deux hommes louches devant un lavabo qui parlent entre eux et leur adressent la parole dès qu'ils les voient. Ils ne comprennent rien. Les deux hommes répètent, plus sèchement. Perrin et Lusiau ne saisissent toujours pas un mot. Un type sort d'une cabine et, impulsion subite, Lusiau s'y engouffre en tirant Perrin par son t-shirt. Ils s'enferment. Ils commencent par tirer la chasse sans autre nécessité que de couvrir le bruit qu'ils pourraient faire. Ils se préparent leurs lignes et les ingurgitent, ce qui les ragaillardit avant de sortir. « J'espère qu'ils vont bien nous prendre pour des drogués », dit Lusiau. Espoir déçu. Ils ne savent pas si les deux hommes trafiquaient quelque chose ou attendaient juste une place libre mais, malgré leur méconnaissance du portugais, ils comprennent très bien que leur virilité est mise en question quand ils remontent l'escalier à grands pas pour atteindre la ruelle où ils seront malgré tout plus en sécurité. À peine mettent-ils les pieds dehors qu'ils tombent par miracle sur un taxi libre. Le chauffeur fait répéter le nom de l'hôtel comme s'il y avait un malentendu, comme si jamais de sa carrière il n'avait chargé de clients dans ce coin pour une destination si prestigieuse. Ça les fait rire. Une minute avant, ils trouvaient consternant d'être perdus au fond de chiottes infâmes en pleine zone, naufragés loin de leur hôtel de luxe, consternant et terrifiant; une minute après, ils trouvent ça très drôle. Les drogues ont de l'humour.

Excités de cocaïne, au bar à côté de la piscine, ils explorent cet humour.

– À dix-huit ans, je me suis retrouvé à Istanbul avec un copain de lycée, dit Lusiau. On n'avait presque pas de fric et on s'était trouvé un hôtel minable. Un jour, un type dans la rue nous aborde et sort un bon paquet triangulaire qu'il ouvre une seconde pour qu'on voie la poudre blanche à l'intérieur et nous dit : « Twenty dollars. » Je n'avais pas un sou sur moi, j'ai demandé vingt dollars à mon copain qui renâclait et je les ai filés au mec. Là, j'ai eu peur. Je me suis mis à penser à un scénario à la *Midnight Express*, quinze ans de taule turque, et j'ai hélé un taxi à qui on a donné n'importe quelle destination, l'hôtel Hilton, je crois, parce qu'on avait repéré qu'il était à des kilomètres. On s'est penchés l'un après l'autre dans la voiture pour que le chauffeur ne nous voie pas et on a tout sniffé en quatrième vitesse, histoire de ne rien avoir sur nous s'il y avait une embrouille, on a dit stop au taxi et on est descendus. Ça ne ressemblait pas à de l'héroïne, au goût, mais on a attendu que ça nous fasse de l'effet. Au bout d'un quart d'heure, rien, on s'est demandé si ce n'était pas juste des miettes de pain. Le marrant, c'est que mon copain a eu ensuite le nez tout gercé, avec des croûtes, il avait l'air con. Moi, rien. Quand on est rentrés en France, je ne l'ai plus jamais revu. Je crois que je ne lui ai jamais remboursé les vingt dollars.

Et Lusiau et Perrin rient de bon cœur sur cet ami plus disparu que l'héroïne.

– Un petit coup dans les narines, j'espère qu'elles ne vont pas s'encroûter, et je te raconte mon histoire ridicule à moi, dit Perrin.

– D'accord, dit Lusiau en passant l'étui à lunettes de soleil reconverti en coffre-fort.

– À l'époque, j'étais fou d'un garçon que je croisais souvent en boîte, dit Perrin en pleine forme. J'aurais donné cher pour coucher avec lui. Ça ne se faisait jamais, au dernier moment il avait toujours une raison de ne pas rentrer avec moi et puis, un soir, ça a marché d'une façon inespérée. J'ai juste dit par hasard, au cours de la conversation, qu'un copain m'avait rapporté des États-Unis des poppers de telle marque et ça l'a scotché, parce que pour lui la seule bonne façon de baiser était avec des poppers et plus précisément avec cette marque-là qu'on ne trouvait pas en France. Je crois que, jusqu'à ce qu'il y fourre le nez, il a redouté un plan machiavélique où j'aurais inventé ces poppers magiques. J'avais un futon, à l'époque, pas de table de nuit pour poser les trucs. Les poppers étaient par terre sur la moquette. On était à poil, on a commencé à sniffer et à bien s'agiter, c'était super. Mais, je ne sais pas, il était trop excité ou juste maladroit, il a renversé la bouteille avant de l'avoir rebouchée et tous les poppers ont coulé. Alors, question baise, on s'est retrouvés tous les deux allongés sur le futon avec le nez dans la moquette pour sniffer ce qui était encore sniffable. À l'époque, j'avais un copain qui avait la clé et passait parfois sans prévenir, sans s'indigner non plus. Il est arrivé pile pour nous voir comme ça parce qu'on ne pouvait pas s'arrêter sous prétexte qu'un autre mec était là – à chaque fois qu'on en a reparlé depuis, ce copain d'alors se marre en disant qu'il n'en revenait pas, nous à poil le nez par terre et le cul en l'air comme des cochons vers des truffes –, on sniffait et on se touchait et on se lâchait pour aller resniffer, et on a joui comme ça et on s'est dit que non seulement on sniffait la moquette comme des cons mais que, en plus, ça valait le coup. On n'a jamais refait l'amour ensemble, ça nous allait, on avait eu le meilleur. Le pire ou le meilleur mais on l'avait eu.

Une histoire ouvre sur une autre. La fois où Lusiau s'est fait contrôler ivre mort au volant, il allait avouer pour ne pas avoir à subir l'humiliation de souffler dans l'alcootest mais on ne lui a pas donné l'occasion de parler ; il a soufflé dans le ballon et l'alcootest s'est révélé négatif. La fois où Perrin faisait le tour du monde sur un cargo avec des copains, ils s'ennuyaient à mourir et passaient leur temps à fumer, dans leur cabine pour ne pas être repérés, jusqu'à ce qu'un officier les convoque ; ils étaient apeurés dans le bureau de l'homme qui leur a juste dit : « Ne fumez pas dans votre cabine, s'il vous plaît. Avec la clim, tout le navire est stone. »

Ils n'arrêtent pas de rire au bord de la piscine, dans leur luxe gratuit du moment. Tous ces coups qui sont passés si près. La déchéance leur a tendu les bras et ils ont su la repousser sans même y penser. Parfois, c'est ça, l'humour, une ironie qui tourne bien.

Toutes les fins d'année universitaire, se tient une réunion des enseignants du département pour tirer un bilan et régler les cas particuliers. C'est la pire contrainte administrative à laquelle est soumis Perrin et elle n'est pas trop pénible, il se contente de ne guère se mêler. L'héroïne était plus discrète mais il fume un ou deux pétards avant, sur le campus, afin d'arriver abruti et perdre son temps le plus sereinement possible. Comme toujours, la réunion se prolonge et le directeur du département propose de la continuer à une des brasseries à proximité. Dès qu'on a terminé les hors-d'œuvre, il n'y a plus rien d'administratif à discuter.

Perrin a avec ses collègues parisiens les rapports cordiaux et distants qu'Amani lui a enseignés à Tours. On l'aime bien parce qu'il ne fait pas d'histoires, est coulant sur tout et ne cherche à prendre la place, le pouvoir ou le prestige de personne. Il a fumé un pétard supplémentaire, préparé d'avance au cas où, entre la salle de réunion et le restaurant si bien qu'il n'appréhende pas le repas. Il se sent de taille à se tenir à l'écart.

Taroumond est un professeur de première classe à un an de la retraite, un maître de la littérature américaine grand amateur de whiskey – un de ses cours sur William Faulkner est resté célèbre parce qu'il n'y avait été question que de Jack Daniel's, « ni bourbon ni whisky ». Perrin n'a pas avec lui de rapport particulier, si ce n'est qu'il est encore le plus jeune du département et Taroumond le plus vieux. Le sexagénaire a toujours dans une poche une élégante flasque argentée dont le contenu ne survit jamais à son séjour sur le campus. « La loi antitabac ne s'applique pas à l'alcool », dit-il à ses étudiants au premier cours avant d'en avaler quelques gorgées, parce qu'il est aussi grand fumeur et furieux de devoir s'interdire la moindre cigarette dans les amphithéâtres, comme maintenant au restaurant. En public, il lui arrive de lancer de grandes tirades sur tout et n'importe quoi, les responsabilités mutuelles des uns et des autres dans la misère de l'université ou la faillite des transports en commun, l'arrogance des chauffeurs de taxi et de certains étudiants de master qui se prennent pour des thésards, les urgences qui en sont pour les patients mais pas pour les médecins. C'est parfois amusant, souvent long.

En plus, Taroumond est passé professeur de première classe trop tard, de sorte qu'il n'en a pas assez profité. Perrin en rencontre un peu partout, dans les facs et les congrès, des universitaires si assoiffés de reconnaissance qu'ils n'en sont jamais rassasiés, ceux que seule l'overdose aurait une chance d'apaiser. Tous les colloques où Taroumond n'est pas invité sont dirigés contre lui, sa rage décuplant du fait que sont conviés des collègues qui le méritent cent fois moins. Perrin aime bien la fantaisie de son aîné mais est agacé par son addiction à la moindre ligne écrite à son sujet, son épluchage des bibliographies, les phrases cinglantes lancées aux étudiants qui ont oublié de le citer et les humbles lettres mendiant une référence envoyées à des intellectuels reconnus ayant fait de même. Aussi bien, tout cela n'est pas si étranger à Perrin quoique, lui, ce serait plus pour sa carrière de drogué qu'il le ferait.

Au hasard de la conversation, dans le brouhaha habituel d'une brasserie, Perrin évoque pour son voisin le drame qui avait failli survenir quand il avait écrit d'un étudiant qu'il était « très con » au lieu de « très bon » pour cause de faute de frappe.

– Faute de petite frappe, intervient Taroumond d'une voix tonitruante alors que rien ne laissait supposer qu'il suivait cette conversation.

Déconcerté, Perrin sourit comme s'il s'agissait d'une blague sans agressivité, il a passé l'âge où de tels mots peuvent s'adresser à lui. Le reste de la tablée aussi semble entre deux eaux, ne comprenant pas s'il faut interpréter les mots du professeur de première classe comme une attaque homophobe ou une sorte de calembour. Taroumond est veuf depuis vingt ans, on ne lui connaît pas d'amante mais quelques protégés.

– Faute de drogué, en tout cas, dit le sexagénaire pour reprendre pied sur un terrain moins contestable. Ou notre jeune collègue nierait-il être un drogué ?

L'agressivité est manifeste. Perrin sait maintenant quoi penser des mots de Taroumond mais toujours pas comment réagir. D'autant que l'expression « les drogués » lui paraît aussi peu pertinente que « les malades » pour désigner à la fois une enrhumée, un cancéreux et un gamin qui s'est cassé la jambe au ski.

– Allons, Jean, dit à Taroumond un collègue quinquagénaire pour tâcher de reprendre l'ambiance en main en ne laissant pas sans réponse les mots auxquels Perrin n'a pas répondu.

– Mais tout le monde sait que c'est un drogué, dit Taroumond en levant son verre vide de Jack Daniel's vers le serveur pour qu'il lui en apporte un autre. Je ne dis pas ça parce que je suis ivre, je ne suis pas ivre. Je le dis parce que c'est vrai. Ne faites pas les hypocrites, lequel d'entre vous ne m'a jamais parlé de Perrin et son petit sachet, Perrin et sa grande seringue, Perrin et sa grosse paille ?

Chacun se récrie, évitant à l'intéressé de répondre lui-même.

– Merci, dit Taroumond au serveur qui n'a pas traîné. On connaît ça, les drogués. Si encore ils se contentaient de se détruire eux-mêmes, mais non, il faut qu'ils emmerdent le monde. Quel exemple pour les étudiants.

Il ne reste déjà plus que la moitié du whiskey dans son verre. Toutes les autres conversations de la table ont cessé, chacun est gêné, attendant que Perrin rétorque.

Il ne dit rien, il a le sentiment de ne rien avoir à dire.

– Ce sont les ratés qui se droguent, reprend Taroumond. C'est de la pure pornographie. Mais quelle carrière il va nous faire à se droguer pour un oui ou pour un non, si c'est comme ça qu'il veut attirer l'attention des universités américaines sur son travail, merci bien. Il faudrait lui expliquer qu'il n'est pas payé pour se bourrer le nez, les veines et les poumons de matières illégales. Encore un, ajoute-t-il pour le serveur, verre vide en main.

Perrin est désemparé. Parce qu'un tel flot d'insultes est inattendu et aussi parce qu'il ne l'atteint pas. Il s'en fiche, de ce que dit Taroumond. Ça l'ennuierait si les autres abondaient dans le sens de l'insulteur parce que ça mettrait son poste en danger ; là, il est clair que c'est la sortie de son agresseur qui est condamnée par l'atmosphère pesante. Sa dignité ne lui paraît pas atteinte par les divagations d'un ivrogne. Il n'a aucune colère, plutôt un étonnement. Toutefois, à la manière dont les autres le regardent, il a l'impression qu'ils attendent quelque chose de lui, une réplique définitive ou un appel au calme, quoi que ce soit qui rétablisse sa dignité dans ses droits. Et c'est ce dont il a peur, qu'elle ne lui appartienne plus, que sa dignité soit entre les mains ou les opinions des autres. Il craint de ne pas réagir comme il devrait, que sa tolérance en cette circonstance – son indifférence – soit une honte.

– Ce n'est pas par hasard qu'on dit si souvent « un con de drogué », invente maintenant Taroumond. Ça veut bien dire ce que ça veut dire.

Comme si le sexagénaire aussi était surpris que Perrin reste si serein et qu'il lui fallait forcer pour enfin obtenir une réaction, qu'il cherchait la bagarre et que ne pas l'obtenir était le pire coup à lui faire. Une stratégie à la Charlus.

– Allons, allons, Jean, redit le professeur quinquagénaire.

Pour Perrin, il est tellement évident que c'est Taroumond qui perd sa dignité qu'il ne comprend pas comment la sienne pourrait être menacée alors que c'est pourtant ce qui est en train de se produire.

– Allons, allons, Monsieur Perrin doit se dire qu'il n'a pas de leçon à recevoir d'un amateur de Jack Daniel's, dit Taroumond. Parce que Monsieur Perrin estime sans doute que le Jack Daniel's est tellement plus nocif que le haschich et l'héroïne. Il faudrait qu'il nous explique comment il en est arrivé à cette conclusion qu'aucun juriste ni expert de santé publique n'a jamais corroborée.

Difficile pour Perrin de ne pas répondre et difficile de répondre. Car, au fond, c'est bien ce qu'il estime.

*

Il en a eu l'expérience avec Lusiau. L'héroïne a disparu entre eux deux mais pas la drogue. Depuis qu'ils ont arrêté, l'un et l'autre se sont mis sérieusement à autre chose, les pétards pour Perrin, la vodka en prime pour Lusiau. Le haschich, Perrin trouve ça pas grave, mais l'alcool. Il a un effet désastreux sur son ami. L'autre soir, ils ont dîné ensemble avec un critique d'art qui suit depuis longtemps le travail de Lusiau et celui-ci, soudain, sans aucun prétexte comme Taroumond, s'en est pris à son admirateur, disant que tout ce qu'il avait écrit sur lui était nul et que ce n'était pas étonnant parce que les critiques d'art sont des nuls par essence, que même les marchands sont plus respectables parce qu'au moins ils prennent des risques. Perrin essaya de l'interrompre mais Lusiau tenait à s'étendre sur le sujet, répétant ses injures sans y ajouter un argument, tout au plaisir de ne pas lâcher sa proie. Et quand il a été enfin rassasié d'avoir déversé ses insultes, Lusiau a passé le bras autour du cou de Perrin pour dire que lui, il était l'opposé d'un imbécile, d'un nul, qu'il était son ami, un vrai ami, un sur qui on peut compter en toutes circonstances. Et Perrin s'est senti plus distant de Lusiau que jamais, heureux que le shit ait à son estimation de bien moindres effets sociaux que l'alcool. Il lui semblait que c'était plus agréable quand Lusiau prenait de l'héroïne, quand ils en prenaient ensemble.

Sentir avec une extraordinaire acuité quand il est un petit peu moins stone et y remettre bon ordre est une prérogative du drogué. Ce n'est pas que Taroumond a soif ou que son sang manque d'alcool, juste que sa tête a comme réflexe de lui proposer l'absorption de quelques gouttes supplémentaires comme l'action la plus naturelle à entreprendre. Le concept de dignité a toujours sa place chez Perrin et, pourtant, combien de serments qu'il n'a pas tenus ? Quand il s'agissait de stopper sa consommation à telle heure, de la limiter à tant par jour, de se l'interdire quand l'amour tendait son cul. Perrin comprend très bien ça : que le drogué ne soit pas raisonnable. Mais c'est un adjectif qui ne peut pas être employé simplement comme synonyme de prison. « – La vie peut être mieux. – Oui, mais il faut être raisonnable. » Les bonbons, parfois, valent mieux que la raison. Taroumond est à un an de la retraite, ses collègues ne peuvent rien pour ni contre lui, il n'a que faire de ce qu'ils pensent de son comportement. Cette merveilleuse indifférence est ce à quoi il voulait parvenir, une conquête de l'alcool, le signe d'une liberté enfin acquise. Au prix de sa dignité ? S'il y a du masochisme dans l'addiction, la perte de sa dignité est une urgence. Mais on ne la perd pas si facilement, c'est une œuvre de longue haleine réclamant des moyens de plus en plus considérables, en alcool, en poudre, en travail, en amour. Ça aussi, Perrin comprend très bien : qu'on doit sans cesse réapprovisionner son obsession pour qu'elle persiste à autant obséder.

Il y eut un temps où Perrin initiait sans scrupules ses jeunes amis de rencontre à la drogue comme un cadeau, le moment est venu où il ne le ferait pour rien au monde ; il a trop peur que quelqu'un en prenne de son fait. Un jour, il a dit à Lusiau comme c'était confortable de ne plus avoir à se promener avec toujours son petit paquet plié caché sur soi. « Oh oui, c'était trop encombrant », s'est moqué Lusiau. Un autre jour, après un dîner avec un ami commun qui avait toute raison d'être content de son sort et qui se plaignait de tout, assouvi par rien, Lusiau lui a dit : « Putain, mais il est accro au manque. » Au manque ou à la peur du manque, qui ne l'est pas ?

*

– Pourquoi pensez-vous que vos opinions sur les drogues et les drogués sont tellement intéressantes ? finit par répondre Perrin sans rien avouer ni désavouer.

– Parce que je m'y connais, en drogues et en drogués, dit Taroumond. Parce que nous sommes frères.

Et le professeur de première classe de fondre en larmes. Ce vieil homme qui le déteste ou l'adore lui attrape le cou avec la main et colle sa joue sur sa joue. Un dégoût saisit Perrin, physique, moral.

– Frères, répète Taroumond.

– Allons, allons, Jean, redit le pacificateur autoproclamé de la tablée en posant aussi une main à prétention affectueuse sur l'épaule de Taroumond.

– Non, non, dit le professeur de première classe en se dégageant. On n'est pas frères, toi et moi. C'est Perrin mon frère.

Perrin retire la main de Taroumond avec sa main, éloigne sa joue de la joue humide du sexagénaire. Dieu, ils pourraient être frères, l'autre le pense sincèrement. C'est cette fraternité communautaire qui dégoûte Perrin.

– Il pense valoir plus que moi, dit à la cantonade Taroumond repoussé. Mais tu es mon frère, que tu le veuilles ou non. On ne choisit pas sa famille.

Perrin adorerait ne jamais avoir fumé de shit, ne jamais en refumer, ne rien avoir à voir de quelque façon que ce soit avec cet ivrogne qui a l'âge d'être son père.

Pour se remettre, ils sortent fumer tous les deux, comme des complices, Taroumond son tabac et Perrin sa substance.

– À notre santé, dit le sexagénaire en dirigeant vers lui son énième verre avant de le vider entre deux bouffées.

Maintenant que Perrin est clean, sa santé physique devient un enjeu. Un après-midi, il accepte d'accompagner au club de gym Benassir qui le tannait depuis des années et, à sa grande surprise, il y prend plaisir. Non seulement celui de voir tous ces hommes nus dans les vestiaires et sous la douche, souvent avides d'attirer les regards et plus, mais bel et bien celui de faire du sport, de se fatiguer, d'arrêter son entraînement le t-shirt trempé de bonne sueur. De sorte qu'il s'inscrit dans un club où il se rend de plus en plus souvent, tous les jours de semaine (Benassir lui a expliqué que son corps doit respirer, y aller trop, sept jours sur sept, ne peut que provoquer des dégâts). Il en sort toujours guilleret. Il a le sentiment que ce sont ses aigreurs, ses mauvais sentiments qu'il élimine avec sa transpiration.

Très vite, cependant, il a des courbatures.

– À quoi ça sert de faire du sport si tu y récoltes mal au dos ? lui dit Lusiau.

– Les puceaux n'ont jamais de maladie vénérienne, répond-il du tac au tac, militant de sa nouvelle cause.

Il n'aime pas qu'on lui discute ses plaisirs.

Quand il est assis sur son vélo, courant sur son tapis, debout sur l'elliptique dont les mouvements lui évoquent ceux du ski de fond, il lui arrive bien sûr de s'ennuyer. Il n'est pas de ceux qui pratiquent avec la musique sur les oreilles, il reste concentré sur son activité. Pour le distraire, il n'y a que sa pensée (il ne raisonne pas, il est habité par des idées avant de parvenir à accéder au néant mental) et les chiffres qui apparaissent sur le tableau de l'appareil. Il peut y lire seconde par seconde le temps écoulé depuis le début de l'exercice, la quantité de calories disparues, sa vitesse qu'il faudra tâcher d'améliorer petit à petit, le nombre à la minute des battements de son cœur. Ce chiffre l'inquiète souvent. Parfois, la machine indique qu'il dépasse deux cents pulsations à la minute et il craint que ce ne soit beaucoup. D'autant qu'il y a des variations considérables en quelques secondes, ce tableau ne doit pas être fiable mais il serait bon de savoir jusqu'à quelle limite son cœur peut battre sans risquer l'overdose.

– Vous verrez bien, lui dit le docteur Darboy. Quand vous sentez que c'est trop, arrêtez.

– Vous devez être surprise que maintenant je fasse tellement de sport, non ? dit Perrin à l'affût de compliments.

Il est si fier de cette nouvelle vie.

– Pas du tout, dit-elle. Ça arrive souvent, le sport est une toxicomanie comme une autre.

– Oui. Mais c'est la première fois que, avant de prendre une drogue, je viens m'assurer qu'elle n'est pas mauvaise pour la santé.

Un cadre obsessionnel se met en place. Semaine après semaine, à chaque jour son appareil. Ce qui n'est pas sans créer un début d'angoisse : et s'il y avait trop de monde, et si l'appareil qu'il souhaite n'était pas disponible le jour dit ? Le même petit pincement au cœur qu'il avait avant chaque coup de fil à un dealer : sera-t-il joignable ? Mais ça se passe bien, il y a toujours une solution, ne serait-ce qu'intervertir exceptionnellement deux appareils, pédaler le jour de la course à pied ou courir le jour du vélo, ce genre d'aventure. Le sport, de toute façon, est une compulsion différente. Il faut se rendre sur place, se déshabiller et se mettre en tenue, comme si Perrin devait aller chez le dealer à chaque prise, qu'il ne pouvait pas faire de réserves. Le temps passé au club le réjouit. Il en parle à tous ses amis, se fait prosélyte de cette nouvelle activité. Avec le sport, la parole est libre. Il se flatte de lui fournir de nouveaux adorateurs. À ceux qui le félicitent de sa ténacité, il répond qu'atteindre cette régularité est d'une simplicité biblique. « La seule difficulté est de devenir accroché. Mais, une fois qu'on l'est, tout coule de source. »

C'est toujours pareil mais il se passe toujours quelque chose à raconter à Benassir : « Ce matin, un type, sa serviette était tombée. Je la lui ai ramassée, il m'a remercié hyper gentiment, et encore après quand il a eu fini. Ça fait plaisir. » Des événements de cette envergure.

La vie a repris ses droits, avec ses avantages et ses inconvénients. Au fil du temps, il double celui consacré à courir, pédaler, ramer. Il est entraîné, son corps s'est habitué. Les doses précédentes ne lui font plus le même effet, il doit céder à d'autres habitudes.

– Jamais personne ne va au gymnase avec un tel entrain, lui dit un soir Benassir qui, de la fenêtre, l'y a vu partir le matin d'un excellent pas.

C'est un charme aussi que Perrin n'a pas à mentir. Lorsqu'il va au sport, il peut dire qu'il y va. Bien sûr, quand c'est pour refuser ou retarder un rendez-vous, ce n'est pas l'excuse décisive (« Ah, tu préfères passer du temps au sport qu'avec moi ! »), toutefois il peut présenter son séjour à la salle comme une nécessité hygiénique, c'est ainsi que son corps respire le mieux et avec son corps tout son être. Il en raffole, du gymnase club, mais qu'il s'y ennuie.

Rien ne lui est plus familier que l'ennui. Il a toujours déployé des trésors de stratégie pour l'apprivoiser. Il aime faire les choses vite de sorte que vite il les a finies et vite il s'ennuie, se retrouvant à la tête d'un temps dont il ne sait que faire – mais qu'il maîtrise, dans lequel aucune obligation n'est nichée. Il est accroché au temps pour le temps, pour l'avoir sous la main, comme s'il le capitalisait, qu'il en avait en réserve. Toute sa vie consiste à donner une direction à son ennui. L'héroïne en était une, le sport en est unc autre, qui met moins à mal son compte en banque et ses relations dites humaines.

Il faut l'imaginer sur son tapis, montant en puissance toutes les deux minutes en augmentant la vitesse de course, n'ayant rien à faire que se fatiguer. C'est pour ça qu'il court, pour être épuisé, mille fois plus ensué qu'au cœur du pire manque, résultat qu'il n'atteint qu'après un bon moment passé à courir moins vite, patiemment, à ne pas transpirer, ne pas encore être fatigué mais ne pas se tuer à forcer le rythme, ce qui lui interdirait toute endurance. Avant d'être suffisamment fatigué pour devenir imperméable à tout sentiment, il s'ennuie. Il a les yeux braqués sur le tableau de bord de son appareil et il regarde avec satisfaction les secondes défiler, comme les heures et les jours quand il était en manque, que chaque minute passée l'éloignait de l'enfer ainsi que chaque seconde écoulée l'approche ici de son petit paradis quotidien. C'est quand même bizarre, d'être perpétuellement si heureux que le temps passe.

Il regarde les secondes défiler pour en finir avec elles et toutes les minutes et les demi-heures créées par leur accumulation. C'est une tâche sans fin qui reprend jour après jour, à chaque visite au club, dans les salles de fitness des hôtels quand il voyage. C'est comme la baise, après tout : il adore ça mais c'est bon aussi quand c'est fait. Comme on se sent reposé après l'effort.

Se mettent en place des habitudes implacables : non seulement le jour dévolu à chaque activité mais la place qu'il s'approprie dans le vestiaire, la façon de se déshabiller et s'habiller (d'abord torse nu pour enfiler un t-shirt, puis retirer chaussures, pantalon et slip pour mettre son short et, enfin, ses chaussettes qu'il remplace par celles de sport, bien assis pour que ses pieds n'aient pas à toucher le sol riche en mycoses du gymnase club), la gourde qu'il remplit et vide pour s'hydrater avant de pisser et la reremplir afin que pas une goutte d'eau ne lui manque pendant l'exercice, sa façon de nettoyer l'appareil après usage pour qu'il soit plus accueillant pour le prochain utilisateur.

Pendant l'effort même, il s'autorise à se désaltérer, trois gorgées toutes les trois minutes vingt, c'est-à-dire toutes les deux cents secondes. C'est une façon de se distraire que de rester concentré sur le bon moment – s'il le laisse passer, pschitt la boisson. Un autre comptage détermine à quels instants précis il peut s'essuyer le cou, le visage et les bras avec le tissu de papier qui sert aussi à nettoyer les appareils. En début d'exercice, il sait donc de combien précisément il a besoin et en prend toujours un de plus, au cas où. Même de papier, il ne veut pas être en manque, pour être dérangé par sa propre sueur et qu'elle inonde l'appareil et le sol à côté et rende caducs tous ses calculs et préméditations. D'autant qu'il aime bien aussi se moucher avec, ça dégage les voies respiratoires et améliore donc la performance, s'il a pris soin de s'essuyer avec suffisamment de soin pour qu'une partie de la serviette reste immaculée et n'attende plus que sa morve. Quand il a encore du papier de rab à la fin, il n'a aucun scrupule à ce qu'il ne serve qu'à ça.

Ça fait toujours du bien quand ça s'arrête. Il a calculé le temps que lui prend une séance complète, du moment où il arrive pour donner sa carte de membre à l'accueil jusqu'à l'instant où, douché et rhabillé, il la récupère. Mais, quand l'effort est fini, il ne l'est pas tout de suite, il y a quelques étirements à faire, sans compter une séance de gainage pour que ses abdos soient à la hauteur. Il y passe le temps nécessaire pour que ça tire, que le travail soit efficace. Un jour, une conseillère sportive du club qui le voit s'échiner lui dit que sa position n'est pas la bonne, qu'il doit placer ses bras comme ça et lever son corps moins haut s'il veut tirer le bénéfice de son effort. Perrin s'y met immédiatement et est immédiatement récompensé : dans cette nouvelle position, ses muscles souffrent beaucoup plus vite et, comme il arrête quand ses abdos lui font trop mal, il gagne encore plusieurs secondes. L'été est aussi un allié : quand il n'a pas un pull à ôter et une chemise à déboutonner puis reboutonner mais seulement un t-shirt ou un polo, ce n'est pas loin d'une bonne minute qui tombe dans son escarcelle.

Lorsque même les étirements sont achevés et qu'il a regagné le vestiaire, il commence par sortir son sac de son casier et en tirer ses tongs et son gel shampooing douche. Après quoi il enlève d'abord ses chaussures, parce que ça fait trop de bien, puis se déshabille entièrement, les tongs continuant à permettre à ses pieds d'éviter tout contact avec le sol dermatologiquement douteux. Une serviette autour des hanches le laisse décent dans cet environnement où d'autres hommes ne prennent pas cette peine, le fait d'être au fond lui permettant de traverser tout le vestiaire de plein droit et passer devant ces sexes et ces fesses plus ou moins exhibés.

Il boit tant pendant l'effort que sa transpiration ne suffit pas à tout éliminer. Alors il pisse si besoin est sous la douche, pour gagner de nouvelles secondes.

Longtemps, par sécurité sanitaire, il s'empêche de faire du sport les jours où il prend l'avion. Et puis il ne s'interdit plus rien et aucun problème ne s'ensuit. Et ses articulations persistent à tenir : aucune raison de limiter sa consommation.

Il y va le matin, ainsi n'a pas à s'interroger sur son humeur ou la manière de commencer sa journée. Le sport aussi est une bonne raison de se lever. Maintenant, non seulement il enseigne à Paris mais il est parvenu à libérer ses matinées, au détriment de la quasi-totalité de ses après-midi. Ça lui manque tant quand il ne peut pas aller au sport qu'il déploie des trésors d'imagination pour toujours pouvoir.

À force d'y être à peu près à la même heure tous les jours, il noue des liens avec les habitués de son horaire. Des liens surtout visuels, de complicité implicite. Car il y a deux sortes de pratiquants, dans cette salle : ceux qui sont heureux d'y trouver une vie sociale, discutent interminablement entre deux exercices pratiqués à la manière douce, et ceux, dont il est, pour qui l'entraînement est tout et que toute socialité entrave. Il n'aime pas être dérangé, même quand c'est Benassir qui court à côté de lui. C'est sa bulle qu'il construit sur son vélo, son tapis ou son rameur, la moindre interférence extérieure la fait éclater.

Tout en ne leur parlant pas, il lie connaissance avec ces êtres partageant son obsession et son moment de l'assouvir. Ça peut aller jusqu'à ce qu'ils se disent bonjour mais rien de plus – s'ils échangeaient des phrases plus originales, ça les éloignerait de leur passion commune. Il ne parle jamais à ceux qui parlent tout le temps et gênent sa concentration. Lorsqu'il croise leur regard, il leur en lance plutôt un désagréable, pour qu'ils apprennent à se taire. Quand il est sur son appareil, il ne dit bonjour à personne, ami ou ennemi, trop occupé. Ses vrais ennemis, ce sont ceux qui ne suivent pas les règles, ceux qui trichent, déposant leur serviette sur un appareil pour le réserver alors qu'ils arrivent juste et ont encore à se mettre en tenue ou tripotant les boutons pour pouvoir, l'air de rien, allonger la durée de leur exercice au-delà du temps réglementaire alors que plusieurs membres attendent cette place. Il est furieux que le gymnase club ne fasse pas mieux la police.

Les gays ont tellement la réputation de hanter les salles de sport que la perspective de rencontrer un amant a joué quand Perrin a commencé cette nouvelle activité. Elle a reflué mais pas tout à fait disparu. Au demeurant, la plupart des garçons ne sont pas son genre, ni lui manifestement le leur. Quand il croise un regard en plein effort, ou juste après qu'il a cessé le sien et est encore dedans, prenant son temps pour respirer le mieux possible, il sourit, non par séduction mais par complicité – ils sont deux à partager cette passion inattendue pour la sueur et la fatigue. Et puis une intimité se noue dans un club de sport, même ses plus proches ne l'ont pas forcément vu s'échiner en short à son âge.

À chaque fois, Perrin sort du club de gym fringant, plein de saine énergie et l'esprit léger. Bien sûr, il a l'idée d'associer le sport à une drogue, avec les réserves que toute drogue suscite pour la santé psychique. Cette endomorphine qu'il crée jour après jour par l'effort, ce serait un plus grand effort de ne plus la convoquer. Cette paresse serait une faute. Le sport est une drogue qui lui donne bonne conscience et dont rien ne l'empêche de se repaître indéfiniment, sinon la fatigue et, qui sait? bientôt l'âge. Mais n'a-t-il pas commis une erreur? N'est-ce pas dans l'autre sens qu'il aurait dû entreprendre son camaïeu, son dégradé de substances addictives? Il a tout fait à l'envers. Il aurait fallu commencer la drogue par le sport et n'arriver que vieux à l'héroïne, quand la nécessité de s'en priver définitivement un jour aurait moins pesé. Ç'aurait été plus judicieux, plus conforme à son corps et sa carrière. Si ce n'est que ceux qui ont fait du sport jeunes sont contraints de persister sous peine de voir leur corps s'abîmer. De ce point de vue, à vingt ans, Perrin n'a rien risqué, jamais il n'aurait mis les pieds dans un club de gym. Et, maintenant, le sport est la meilleure drogue du monde. Au cœur de l'effort, c'est le summum du ne penser à rien, le meilleur abrutissement garanti. Le temps du sport s'écoule en circuit fermé, hors d'atteinte des aléas de l'existence autres que tendinites, élongations et entorses. Même l'abrutissement qu'il suscite ne dure pas. Mais peut-être que, à force d'équilibre sportif, Perrin a moins besoin d'abrutissement, que vivre est une moindre tâche, moins effrayante, moins épuisante quand il est entraîné. Dans cet exercice, tout le monde devient un peu sportif en vieillissant.

Un jour, son voisin de tapis est un jeune et beau garçon qui s'intéresse à sa course et prend l'initiative de le conseiller. C'est aussi dans l'espoir d'une telle situation que Perrin s'est mis au sport.

– Vous devriez aller plus vite, c'est plus efficace, dit le garçon.

Mais Perrin a peur d'aller trop vite. Il redoute qu'un rythme exagérément rapide trop tôt n'induise un rythme exagérément lent dans un proche avenir. Bien sûr que, dans le calcul de sa moyenne horaire, il perd un temps fou à ne pas commencer au maximum. Toutefois, il risquerait de s'écrouler à brusquer les choses. Il faut maîtriser le présent pour préserver le futur. Aller plus vite serait aller trop vite et le rythme actuel lui convient parfaitement. Le mieux est ennemi du bien, le changement, c'est-à-dire l'inconnu, un opposant au contrôle total. C'est au fil des semaines qu'il peut transformer son plan de route, certainement pas comme ça, sur un coup de tête.

– Merci, dit Perrin, heureux de nouer connaissance. Mais pour l'instant, c'est bon pour moi.

– Je vous assure, dit le jeune et joli garçon.

– Peut-être que je suis trop vieux mais, pour moi, c'est bon comme ça, dit Perrin.

À augmenter régulièrement, dans quelques minutes il courra à une vitesse déjà sérieuse, pour peu que le garçon reste sur son tapis jusque-là il ne pourra que le constater – que, tout vieux qu'il se prétende, Perrin atteint quand même une vitesse très respectable. L'autre n'attend pas cet instant, quitte son tapis trop tôt, avec un regard désolé pour son voisin.

Le garçon est de nouveau là le surlendemain et Perrin choisit le tapis d'à côté. Il n'est pas au sport pour chercher un amant mais un amant n'est jamais à dédaigner et, puisque l'autre lui a adressé la parole, il y a un début d'il ne sait quoi entre eux. L'adepte des courses plus rapides n'a pas l'air gay mais Perrin n'est guère expert pour détecter les goûts sexuels ailleurs qu'au lit.

Il ne change rien, commence lentement.

– Je vous assure, répète le garçon. Ce serait beaucoup mieux si vous alliez plus vite.

Perrin ne se soumet pas, n'accélère que selon son plan qui a mille fois fait ses preuves.

– Sûrement que vous êtes trop vieux, finit par dire le garçon en quittant son tapis.

Il le dit avec une agressivité que Perrin perçoit sans s'en soucier. La relation entre eux est finie. Une aventure aurait été bien aventureuse avec un conseilleur si soucieux de ses conseils. Et il faut croire que le sport est plus sexy qu'un garçon qui ne l'était pas tant que ça. Peut-être est-ce mieux ainsi mais il y a malgré tout quelque chose de décevant dans l'épisode.

Il va aussi au sport le matin pour ne pas avoir à y aller plus tard, en être débarrassé, mais ce n'est pas une ambition si exaltante qu'être libéré de ses plaisirs.

Les chiottes de l'histoire

Ça manque, quand on n'est plus accroché.

Désormais, Perrin s'ennuie en pissant. L'abolition de l'héroïne n'a pas eu d'effet sur sa vessie. Juste après qu'il a arrêté, lorsque la drogue n'était plus dans son sang mais encore dans son esprit, quand il s'absentait pour les toilettes durant un repas, il lui est arrivé de voir dans le regard de l'autre un soupçon dont il ne se souciait guère du temps que la suspicion était légitime. Tout séjour dans les toilettes lui rappelait ce que naguère encore il avait l'occasion d'y faire.

Désormais, quand il pisse, il ne fait rien que pisser. Et ça lui prend encore dix fois par jour. Il a parfois le regret de quand c'était plus animé. Il pouvait commencer par pisser si besoin était mais cette action était sublimée par celle qui allait suivre, la prise d'héroïne qui transformait toute l'affaire en bonheur, ou en satisfaction, ou en soulagement, selon le niveau où il en était de son héroïnomanie. Au demeurant, il préférait se nourrir le sang d'abord et ne pisser qu'ensuite, de sorte que si par extraordinaire quelqu'un, à l'extérieur, trouvait exagéré le temps passé aux toilettes, cet être soit au moins rassuré, quand l'impatience le prendrait, par l'évidence auditive que Perrin était bel et bien en train de pisser. Maintenant, ça a beau être son propre sexe qu'il a sous les doigts, tout ça n'est guère excitant. Il peut juste tâcher de viser au centre de l'eau pour faire le maximum de bruit et pouvoir dire, tel Guillaume Depardieu dans *Les Apprentis* : « Je m'affirme. » Ou, au contraire, puisqu'il n'est plus nécessaire de donner des gages audibles, diriger son jet sur les parois, sans comprendre si ça augmente ou diminue le risque des éclaboussures qui semblent ne répondre à aucune règle précise – quelque bonne volonté qu'il y mette, il y en a, à moins qu'une partie du jet ne parte directement à côté et ce ne sont plus des éclaboussures mais une flaque. Discussions de marchands de pipi. C'était plus facile d'être assis comme une fille, et plus joyeux.

Il avait diverses stratégies. Il lui arrivait de s'asseoir sur la lunette, tout habillé ou pantalon et slip baissés, et de sortir de la protection plastique de sa carte bancaire le petit triangle de papier plié contenant son trésor. Il attrapait avec sa carte une petite quantité de poudre qu'il déposait sur l'étui et, avec la tranche, en écrasait les protubérances, que rien ne se bloque dans son nez sans atteindre son sang, que rien ne se perde. Puis un billet de banque roulé lui permettait de sniffer aisément la marchandise. Après, il était toujours en position pour pisser, même s'il lui arrivait de se relever pour le faire. Mais, parfois, il rabattait la lunette et s'accroupissait devant (se mettre à genoux aurait été moins fatigant mais il fallait penser aussi à son pantalon), et c'est sur le couvercle qu'il faisait sa machination. En cas de fix, il suffisait d'entrer avec sa petite sacoche et d'un séjour un peu plus prolongé, mais pas forcément plus long que celui d'une fille dans le cabinet de toilette avant l'amour.

Le lieu et les conditions de la prise auraient pu apparaître peu appétissants mais le fait est que ça ne lui coupait jamais l'appétit. Il a déjà baisé, aussi, dans des chiottes, ça n'empêche pas le plaisir. C'est également là qu'ont eu lieu des actes décisifs, qu'il a jeté dans la cuvette de l'héroïne, laquelle, tout compte fait, était mille fois mieux là qu'ailleurs. Les W.-C., théâtres de tant d'exploits, désormais il y perd son temps.

*

Faire l'amour : c'est un acte sur lequel l'héroïne a laissé des traces et autour duquel rôde désormais l'impuissance. Perrin redoute qu'elle demeure dans sa vie telle une peur attachée à sa peau. Ce n'est pas qu'il est incapable mais que l'incapacité est une possibilité, une option. Tout homme est confronté à cette affaire, de l'adolescent peaufinant son dépucelage à l'expert sadomasochiste risquant de faire basculer sa mise en scène dans le ridicule par un fiasco de dernière seconde (« Attends que je bande, salope, s'il te plaît »). Y a-t-il honte du zoophile ne parvenant pas à pénétrer sa chèvre ou juste déception ? Y a-t-il un état innocent de l'impuissance ? Chacun sait que ce sont des choses qui peuvent arriver.

Mais Perrin a connu la flaccidité plus souvent qu'à son tour, et de sa propre volonté, malgré tout : parce qu'il était dépendant, certes, mais à l'héroïne, il avait choisi, aurait pu l'être à la sexualité. Il a des amis (pas intimes, il s'en tient un peu à distance comme on fait avec tout drogué) ainsi, accros au sexe selon son estimation, qui ne peuvent pas vivre s'ils n'ont pas au moins un nouveau partenaire par jour, qui passent leur vie à lutter contre ce manque face auquel il est compliqué de faire des réserves, avoir sa petite provision d'amantes ou d'amants à utiliser plus tard. Ces amis ne sont pas des tireurs de coups uniques qui jettent leur conquête d'un quart d'heure sans espoir de reviens-y. Souvent, ils les reçoivent d'autres fois dans leur lit de sorte que, au fil du temps, cela fait assez de monde pour éloigner la crainte d'une pénurie. Mais il leur faut des nouvelles ou des nouveaux aussi, si bien que les réserves ne servent à rien, on ne peut pas faire provision de nouveauté.

Parfois, Perrin les regarde de haut, tout à ses affections, ses amours, comme si cette manière d'user du sexe était pornographique, et parfois c'est sa manière à lui qui lui semble pornographique comme si l'érotisme nichait tout entier dans la sexualité débridée, qu'à faire des provisions d'amour de sa vie il restait avaricieusement sur la réserve. Comme si l'amour de sa vie était un moyen d'en finir avec l'amour de même que l'héroïne en est un d'en finir avec la sexualité. Mais ce n'est pas finir : le retour de bâton ou de carotte n'est jamais loin.

Tout homme est confronté à l'impuissance, tout homme et toute femme. Parce qu'il faut aussi la ressentir du point de vue de l'autre. C'est un mauvais coup qu'on lui fait où il ne sait pas juger de sa responsabilité, le fiasco de l'un rejaillit sur l'autre. Tout homme y est confronté dans la théorie et la pratique, psychologiquement et physiquement. Ça peut toujours arriver et ça arrive parfois, et connaître le danger ne fait que l'aggraver. Perrin le connaît très bien, d'autant mieux que, pendant longtemps, ce n'était même pas un danger, juste un prix à payer pour lequel il ne voyait aucun débiteur, passant l'humiliation de l'autre par pertes et profits (il y a un égoïsme du fiasco) et la sienne propre se retrouvant dissoute par le mobile qui la provoquait, son engagement dans l'héroïne, qu'on pouvait réprouver mais qui n'en existait pas moins.

Sans la poudre, le sexe est livré à lui-même et, si la liberté était un bonheur permanent, la dépendance serait moins prisée. La soumission n'est pas juste masochisme, elle est parfois simple confort. Ou le confort est-il masochisme, passer sa vie à ne rien explorer à fond ? La liberté est-elle l'indépendance ou est-ce l'équilibre des addictions, chacune tempérant les autres ?

L'impuissance : mieux qu'un puceau de l'héroïne, il sait que ça existe. Il sait qu'il faut faire avec, c'est une option et une fatalité. Maintenant, quand il pense au temps de la poudre, il n'est pas accroché à en chercher l'origine comme s'il n'avait pas eu une bonne raison d'en prendre, comme si la connaître aurait dispensé d'y faire face ou qu'elle se serait évaporée une fois exprimée – comme si la psychanalyse était le seul remède alors que des gens en prennent pendant des années à qui leur psy manque quand il part en vacances avec leur argent. S'il s'agit juste de chercher la drogue la mieux acceptée, qu'on cesse de l'intoxiquer avec la désintoxication comme idéal.

Perrin est tombé dans la potion diabolique après des mois d'intense vie sexuelle, quand lui aussi sortait tous les soirs, à l'affût d'une jouissance partagée. Il a fallu en finir avec cette débauche et le remède a été radical. Il aspirait à quelque chose d'autre, soit, mais ça ne pouvait pas être l'impuissance. Il faut être fou pour cracher sur la pornographie. Chacun en est avide, à un moment ou un autre. Chacun y est accroché, à des intervalles plus ou moins espacés. Cette question qui lui revient : où la pornographie, où l'érotisme si celui-ci est obscénité, indécence ? Et ses corollaires : à quelle morale ressortit la mécanique ? Comment l'amour est-il ordurier ? De quelle horreur l'héroïne est-elle le contrepoison ?

Il n'y a rien de graveleux à prétendre que jouir est plus sain que de ne pas le faire, pratiquer le sexe en compagnie plus habituel que s'en préserver. Dès qu'il s'est éloigné de l'héroïne, une nouvelle vision du monde s'impose à Perrin, celle que tout le monde a, qui n'est pas une vision mais une nécessité, pas une option mais une fatalité. Il n'y a pas de dépendance, juste des preuves de dépendance. Perrin avait beau argumenter avec lui-même, des faits s'imposaient, que sa sexualité était le parent pauvre de sa vie héroïnomaniaque, qu'elle était sacrifiée sans combat. Il ne faudrait pas qu'il soit embarrassé de la récupérer, tel un peuple qui, renonçant à jeter ses enfants dans le feu d'un volcan en fusion pour l'apaisement de dieux maléfiques, se retrouverait encombré des petits rescapés dont il n'avait jamais planifié de pourvoir à l'éducation. Il devrait être possible de s'organiser quand même.

C'est encore comme s'il y avait un danger à faire l'amour, un risque, que c'était aussi une épreuve. À la fois, c'est toujours là, dans un coin de la tête, quand on ne satisfait pas sa sexualité en solitaire. Pour Perrin, la présence est plus forte. Il imagine de détourner des slogans : « Make sex, not fix. » Voilà qui serait plus efficace dans la lutte contre l'héroïne que ce qui est généralement concocté. Et le Viagra, n'est-ce pas l'équivalent d'un bon fix, d'un bon sniff? À peine la comparaison lui est-elle venue qu'il est curieux du produit. Ce sera sa provision : même pas la peine d'en prendre s'il sait qu'il l'a sous la main, comme toute drogue. Et, pourtant, il y a toujours du monde pour prendre la drogue, à croire que l'idée du plaisir ne suffit pas, qu'il faut en outre le plaisir lui-même.

Le sexe a ses charmes. Faire l'amour, il se souvient que ça lui plaisait, un temps, et le goût ne lui est pas passé maintenant que les circonstances sont de nouveau favorables à l'étalage de son érudition physique. Un ami a utilisé le Viagra dans le seul but de multiplier ses érections et en parle à Perrin comme d'une drogue à côté de laquelle il serait trop bête de passer. « Les mecs qui se vantent de ne jamais avoir à en prendre, c'est juste qu'ils ne regorgent pas d'idées ni de partenaires. » Là où le Viagra est vraiment utile à Perrin, c'est pour coucher sans mauvaise surprise avec qui il désire sans enthousiasme coucher. Mais prendre un adjuvant pour faire l'amour avec qui on n'a pas vraiment envie, c'est la définition même de la dépendance. « Je ne tiens pas à baiser mais je ne peux pas faire autrement. » Il entend à la télévision Jean-Luc Godard citer avec un bon sourire Staline : « Si vous n'y arrivez pas avec la qualité, essayez la quantité. »

Mais la qualité est dans la nouveauté et la nouveauté réclame la quantité. Bien sûr, il y a mille positions, mille dispositions psychologiques, mille scénarios à élaborer : en théorie, rien n'interdit d'éviter toute répétition avec un unique partenaire. Malgré tout, le plus facile pour changer est d'en changer, que ce ne soit pas toujours avec le même corps que la jouissance survienne. S'il pouvait changer de drogue tous les jours, ne s'accrochant à aucune, et comment qu'il le ferait. Tous les jours, pourtant, ce serait trop, puisqu'à chaque fois il faudrait trouver le dealer approprié, à chaque fois s'approvisionner, il y passerait sa vie. S'accrocher est le plus confortable. Il ne va pas bloquer ses soirées à déployer avec un succès incertain des tentatives de séduction qui lui mangeraient tout son temps. Il saisira chaque occasion, bien sûr, mais l'amour de sa vie sera son compagnon sexuel privilégié. Y a-t-il une impuissance liée à l'habitude, à ce qu'on a trop souvent fait l'amour avec l'autre, les bornes sont dépassées ? Mais la sécurité est excitante quand elle est synonyme d'orgasme assuré.

Il ramène un garçon chez lui. Tout se passe bien jusqu'à ce que Perrin n'y arrive pas. « Tu prends de l'héroïne ? » dit le garçon sans que Perrin comprenne si sa réputation l'a précédé. « Non », répond-il indigné. Ça fait des semaines qu'il n'en prend plus, elle n'a pas de mobile pour interférer sur son appareil génital – ce serait une injustice. C'est juste qu'il a trop investi sur ce remède à la poudre. Ce coup-ci, il est encore obligé de se consacrer exclusivement à la jouissance de l'autre – générosité obligée qui le fait se sentir minable. Comme si ses fantasmes extravagants et honteux, coupés de tout accès à la réalité, n'étaient pas une manière de lutter contre l'impuissance mais de la provoquer. Juste trouver un mec et faire l'amour avec, voici le fantasme idéal. La fonction recréera l'organe.

Aussi destructrice soit-elle, Perrin voit aussi de la santé dans le principe même de l'obsession. L'héroïne disparue, il exerce surtout sa toxicomanie dans le sport, le travail et l'amour. En tant que toxicomanies, elles sont moins pures, coupées à la vertu. Il trouvera toujours quelqu'un pour les approuver. C'est mieux pour tout le monde si le type qui violait et tuait petites filles ou petits garçons préfère passer son temps à jouer à des jeux vidéo.

– On s'aime mais on ne se manque pas, lui dit Benassir avant de partir seul trois semaines en Tunisie.

Perrin est surpris par la phrase, parce qu'elle est vraie et qu'il ne l'aurait jamais dite. Il ne s'attendait pas à ce que Benassir soit si bon connaisseur du manque, s'imaginant que c'était sa prérogative. Il y a pourtant longtemps que le jeune Tunisien a montré sa connaissance en la matière, si Perrin se souvient de ses premiers voyages là-bas.

Un jour, alors qu'ils ne se connaissent que depuis quelques semaines, ils visitent les ruines de Carthage. Perrin s'en fiche mais Benassir le lui a proposé comme une excursion et il ne veut pas le décevoir, quoiqu'il n'ait pas pris l'avion pour se repaître de sites archéologiques mais de son amoureux. La saison n'est pas propice et il n'y a pas de touristes, ils sont seuls sur l'étendue du lieu. Le temps est frais et beau. Ils ont marché pour y arriver et le chemin a semblé interminable à Perrin qui est en plein manque. Il n'attend rien de cette exploration que du temps passé avec Benassir, mais il redoute de ne pas être à la hauteur de la circonstance, de tellement se traîner physiquement que le mental plonge aussi. Le site le bouleverse. C'est toute une émotion d'être sur place avec Benassir, une communion.

Regarder, respirer, marcher, être content : il jouit sans entrave de la réalité. La présence de Benassir est un refuge qui l'accompagne à chaque pas. L'absence d'héroïne en est un autre. Ça lui arrive parfois, des jours bénis où le manque le met dans le même état que sa drogue, quand tout est bienvenu, tout atteint sa sensibilité pour le mieux. Comme quand il a 40 de fièvre, que son délire a ses inconvénients mais ses avantages, ne serait-ce que celui de ne pas être dans son état normal qui est quand même la première chose qu'il recherche en se droguant et à quoi il peut donc parvenir aussi en ne se droguant pas. Il est épuisé mais il est dans un monde inhabituel, ses perceptions exacerbées. Si Benassir n'était pas là, peut-être fondrait-il en sanglots de désespoir mais Benassir est là, ému en outre de l'émotion que cette visite suscite, alors la vie est belle. Ce sentiment de plénitude, amour et beauté, rien ne fera qu'ils ne l'auront pas partagé. Les ruines de Carthage ne pourront pas être détruites.

Il y a plusieurs années, maintenant, que Benassir et Perrin vivent ensemble à Paris. Au meilleur sens d'ensemble, quand ce n'est jamais une gêne. Ils ont chacun leur petit appartement, à cinq minutes l'un de l'autre. Ils sont on ne peut plus voisins mais libres d'accueillir un amant ou un amour sans mettre une stratégie au point. Ils ont si souvent fait l'amour que ce n'est plus la priorité de leur lien. Leur relation qui a été tellement forte, tellement folle, c'est maintenant qu'elle leur apparaît la plus sensée qu'elle se révèle la plus forte et la plus insensée. Ne pas se voir ne leur manque pas tant ils ont confiance en l'amour de l'autre, la psychologie plus forte que la séparation, un temps. Comme si la théorie surpassait la pratique : savoir que l'autre existe permet d'en faire abstraction, la puissance de la relation est supérieure à chacune de ses manifestations, dédramatisant vite tout incident. C'est elle le plus grand confort, la relation en soi. Ils se sentent si assurés d'être ensemble même quand ils ne le sont pas, bien sûr alors qu'ils ne se manquent pas. C'est ça, l'amour de sa vie, quelqu'un sur qui on peut compter comme si Perrin a dans sa chambre un coffre rempli d'héroïne à ras bord et que, donc, les dealers peuvent tomber comme à Gravelotte et l'argent s'évaporer, il ne risque rien. Si ce n'est que ça limite la vie amoureuse d'avoir déjà l'amour de sa vie, enregistré et sauvegardé. Tout le monde y aspire, mais aspire-t-on si souvent à bon escient ?

La relation n'a pas toujours été si sereine. Durant un temps, Benassir a vu un autre homme dont il était amoureux. Mais ni Perrin ni son jeune amant ne souhaitaient se perdre. Alors Benassir s'est partagé entre les deux et c'est l'amoureux le plus récent qui a le moins bien supporté la situation. Un jour, Benassir raconte à Perrin que c'est fini avec l'autre, l'autre a levé la main sur lui. Perrin est hors de lui. Le surlendemain, alors que sa rage n'est pas encore redescendue et qu'il est seul chez lui, Perrin reçoit un coup de fil inattendu de l'amant disparu qui officialise la rupture. Il appelle pour lui recommander Benassir, que l'amant restant prenne bien soin du jeune homme, respecte sa sensibilité, sa délicatesse. « Je suis surpris que vous, vous me donniez ce conseil », dit Perrin le plus sèchement possible. À aucun moment, l'autre n'a la possibilité d'entamer une conversation complice.

Quand Perrin lui relate l'événement, Benassir répond juste : « Ne sois pas désagréable avec lui, s'il te plaît », et il ne sait pas comment l'interpréter. Le récit était-il vrai ? L'autre a-t-il réellement frappé Benassir ? La scène n'est-elle qu'un prétexte ? En un mot : Benassir lui a-t-il menti ? Or, avec l'amour de sa vie, on ne peut pas entrer dans une interrogation pareille. Perrin est persuadé que, au fond, Benassir lui dit toujours la vérité, même si celle-ci ne saute pas aux yeux, même si, au second abord, ce n'est pas celle qu'il croyait. Il connaît ça : ce n'est pas mentir que mentir pour l'héroïne, c'est le moyen normal de s'en procurer. Personne ne s'attendait à ce qu'il vienne crier sur les toits : « Je ne peux pas te voir parce que je dois voir mon dealer qui a priorité absolue sur tout le monde, y compris l'amour de ma vie, parce que justement il me le vend, il me le prostitue, l'autre amour de ma vie. » Chacun cherche sa drogue, chacun deale comme il veut avec l'amour ou la vérité, pourvu qu'un pacte au moins implicite assure qu'il le fait aussi pour l'autre. Ça lui va bien, à Perrin, de s'émerveiller de l'innocence de Benassir : quid de la sienne s'il lui a fallu l'héroïne pour découvrir intoxication, trafic et compulsion qui n'avaient pas attendu le produit pour prospérer en lui ni dans le monde ? Quel expert est-il donc ? Il n'y a que les innocents pour comprendre l'innocence de même qu'il n'y a que les drogués pour comprendre la drogue. La prétendue innocence de Benassir n'est qu'une forme supérieure de compréhension, une intelligence idiosyncratique.

Un amour de sa vie, c'est comme un meilleur ami, tant mieux si on en a plus qu'un. C'est comme tout ce sans qui ou quoi on ne peut pas vivre et parfois il le faut bien.

Comme c'est incompréhensible pour les autres de vouloir absolument faire ça – c'est-à-dire : quoi que ce soit qui engage au-delà de la prudence habituelle – pour une femme ou un homme, pour de l'argent ou de la reconnaissance, un gramme de coke ou d'héroïne, pour un enfant, Dieu, la famille, pour l'honneur ou pour la France. Perrin le sent comme le cœur même de l'individualité : ce que chacun supporte dans son existence, ce qu'il supporte sans s'en rendre compte et ce qu'il supporte péniblement. Pour lui, la dépendance n'est pas un obstacle insurmontable, cette dépendance-là, à des êtres sur qui il peut compter, au sport qui ne lui fait que du bien, au haschich qui est tellement moins préoccupant que l'héroïne. Préoccupant quand même, parce que la société est ainsi organisée qu'il ne peut pas s'en gorger autant qu'il voudrait, devant telles personnes ou dans telles situations, et puis parce que c'est l'abrutissement qu'il recherche en en fumant et que, aussi admirable et séduisant, aussi enrichissant et libérateur que soit souvent l'abrutissement, parfois il a aussi l'inconvénient de le rendre purement et simplement abruti, sans bénéfice apparent, quand c'est son unique moyen de conquérir ce qu'il appelle alors à injuste titre sérénité. Il peut rester silencieux en compagnie un temps fou sans s'en rendre compte tant son imagination travaille durant ces instants, l'isolant absolument. Benassir, est-ce à l'innocence qu'il est accroché, addiction peu banale, à leur relation qui la préserve au sein de son homosexualité musulmane ?

Pour Perrin, Benassir est accro à la santé et cette santé est contagieuse. Le jeune Tunisien a cette force qui renverse tout, emporte toute velléité de perversion, de malheur inutile jusque dans leur relation à eux deux. Jamais Benassir ne verra une drogue comme un remède parce que toute drogue s'attaquerait à son identité, son intégrité, et qu'il est somme toute satisfait de ce qu'il est. Sa drogue, c'est sa bonne santé physique et mentale qui pourrait le rendre *fashion victim* du premier produit homéopathique venu pourvu que, à la pharmacie, on le lui ait habilement vanté. Il ne se shootera jamais, au risque d'attraper une hépatite si la piqûre est mal faite. C'est seulement pour sa santé que Benassir est prêt à des folies.

⋆

Perrin, un trop long temps, a été amoureux de Jérémy, jeune homme qui jouait de son attirance pour le garder à proximité tout en le maintenant à distance sexuelle. Perrin l'aimait sauf qu'il lui était interdit de le faire physiquement. Il était perdu dans le désir, accroché à une drogue qu'il ne prenait pas. Jérémy souhaitait sans doute rentabiliser sa psychanalyse en voyant en Perrin un père avec lequel, c'est la normalité même, toute relation sexuelle lui était interdite – mais le jeune homme avait aguiché Perrin avec de tout autres arguments. Quoi qu'il en soit, à force de frustration, Perrin en a eu assez et a coupé les ponts.

Quand il raconte aujourd'hui sa mésaventure, il prétend, comme s'il récupérait ainsi quelque chose dans l'affaire, que le jeune Jérémy avait tout d'une pute, sauf le courage. La prostitution est comme le suicide, on peut débattre de la part de la lâcheté dans l'une ou l'autre, nul ne peut nier que le courage, en tout cas, y participe. (Et dans le masochisme, ce goût de Perrin pour l'humiliation, un trop long temps, avant qu'elle ne le dégoûte ?) La prostitution sans passer à l'acte sexuel, c'est comme un suicide qui ne consisterait qu'à vivre à feu doux, simplement mijoter dans l'espoir que rien ne survienne d'ici sa mort naturelle – a priori peu grisant. Au demeurant, elle n'est pas le fantasme de Perrin, la prostitution telle qu'on l'entend, mais il n'a rien contre une prostitution bourgeoise, sans argent, par la seule force de la persuasion, des convenances ou de l'amour.

Le tapin sans tapinade physique a allumé Perrin qui s'est retrouvé accroché à tel point que le regret d'avoir connu le jeune homme, peu à peu monté en lui, est devenu exagérément vivace, comme si le fiasco de la mauvaise rencontre se poursuivait par l'intermédiaire d'une autre complicité ne mettant plus en jeu la sexualité mais l'aigreur, la moins plaisante des dépendances. Il dit regretter d'avoir connu Jérémy mais il regrette aussi d'en être débarrassé, par sa propre décision et cependant malgré lui. Comme pour l'héroïne, il n'a pas d'autre choix que de ne se souvenir que des mauvais moments, sans quoi ses années de liberté acquises par la suite risqueraient de perdre de leur charme.

C'est à propos de Jérémy que Lusiau lui a dit qu'il ne pourrait jamais être amoureux sans avoir couché et de telles remarques, en définitive, ont perturbé Perrin. Être amoureux est déstabilisant par définition, parce qu'on n'est plus maître de soi, qu'on est accroché – mais à quoi ? un corps, un cul, une âme, une bite, une peau, une intelligence, un sourire ? Il y a autant d'addictions que d'amoureux, Perrin n'arrivera à rien par ce genre de réflexions qu'il pourrait étendre sans fin (à un coude, un genou, des yeux, une patience ou une impatience, une bonté ou une dureté, une tolérance ou une intolérance...). À un moment, il s'est demandé si le jeune homme n'avait pas une bonne raison de ne pas baiser avec lui, une excellente, l'impuissance, ainsi qu'une amie le lui a suggéré. Ça ne l'a pas convaincu parce que l'impuissance de l'autre ne l'aurait pas trop gêné (élément qui ne devait pas exciter le désir de Jérémy), après une si longue attente, pourvu qu'elle ne contamine pas ses propres aptitudes. Mais peut-être que l'autre avait un raisonnement différent.

Perrin voit le jeune homme comme une sorte de compagnon secret, Mr. Hyde sexuel qu'il aurait créé par il ne sait quelle manipulation psychologique, à force de réserve physique et d'épanchement sentimental, comme s'il fallait s'en remettre, concernant les êtres humains, à une drogue mauvaise, méchante, plutôt qu'à une qui vous veut du bien et vous en fait si continûment qu'elle perd son statut de drogue, ainsi que sont les amours de sa vie. Comme un savant fou – ou ces scientifiques travaillant pour les fabricants de tabac s'attachant à introduire un élément addictif dans leur produit pour amplifier sa vie commerciale – qui formerait un monstre bien différent de Frankenstein, un être si adorable que divers êtres en seraient amoureux mais qui, lui, ne le serait jamais. Le jeune homme, sans doute blessé d'être abandonné, s'est manifesté plusieurs fois comme un dealer et même un peu plus que ça, comme s'il était lui aussi la victime ou, plutôt, comme s'il était lui et non Perrin la victime. Qu'a-t-il fait de mal que de ne pas coucher, ce qu'un type bien n'est en droit d'exiger d'aucun être libre ? Jérémy est drogué à la filiation, à cette idée de la relation, d'où son égoïsme radical : rien de ce que peut ressentir Perrin n'arrive jusqu'à lui et, de toute façon, ce serait la moindre des choses qu'un père souffre pour son fils – à quoi d'autre servirait un père ? Perrin connaît ça, l'innocence atteinte par paresse, quand on ne perd pas son temps à penser au mal qu'on fait, quand celui qu'on subit ou a subi ou pourrait subir occupe tout l'esprit.

Au fil du temps, de coups de téléphone et de quelques nouvelles rencontres, Perrin se fait un autre portrait du jeune homme : un pauvre garçon qui croit que l'amour doit ressembler à ce qui s'en dit. Jérémy est si convaincu qu'il est prêt à se créer de force un père de substitution et certain qu'il n'y a de toute manière nulle issue pour lui avec un être déjà pourvu d'au minimum un amour de sa vie, seule une existence en commun avec exclusivité sentimentale et sexuelle au moins promise répondant aux besoins qu'il estime les siens – il y a une nécessité vitale à se conformer aux règles analytiques et amoureuses en vigueur. Et tant pis si ça ne fonctionne pas, le malheur est de ce monde. Il faut que le bourreau se voie comme une victime, que le malheur du sadique lui justifie son sadisme. On peut avoir été héroïnomane et s'en indigner cependant.

Un jour qu'ils sont ensemble au café, Jérémy reçoit un coup de fil de l'homme avec qui il vit maintenant et Perrin l'entend répondre : « Mais je suis avec Perrin, là », pour que son correspondant, de lui-même, rappelle plus tard (Perrin comprenant que le récit de son propre amour passé fait désormais partie de l'attirail séducteur de Jérémy). Mais ça ne suffit pas, ça discute encore à l'autre bout du fil. « Je m'occuperai ce soir de l'ampoule du salon et de la fuite du lavabo, c'est juste un joint », dit encore Jérémy, puis « D'accord » et encore « D'accord, l'évier aussi » avec une soumission croissante avant de parvenir à raccrocher. Perrin voit le sexe comme un élément plus prédominant dans sa propre relation avec Jérémy que dans celle de Jérémy avec l'actuel amour de sa vie, comme si le manque de sexualité était le vrai critère de l'amour de Jérémy.

Tout ce qu'il lit nourrit l'obsession de Perrin. « Le docteur Johnson fait une observation fort juste, c'est que nous ne faisons jamais sciemment pour la dernière fois, sans une tristesse au cœur, ce que nous avons depuis longtemps accoutumance à faire », écrit Thomas De Quincey quand il raconte qu'il va fuir l'école où il n'a pas été heureux. Peut-être le prisonnier ressent-il une nostalgie à dormir dans sa cellule la veille de sa libération. Toute dernière fois consciente met en cause la solidarité de sa propre vie. On ne sait jamais sur quoi débouche une dernière fois, quelles premières fois ça ouvre, quelle place on se fera au prix de quels malentendus dans quelle nouvelle communauté. Il y a cette comparaison chez Proust : « de même qu'au moment où un inconnu, avec qui nous venions d'échanger agréablement des propos que nous avions pu croire semblables sur des passants que nous nous accordions à trouver vulgaires, nous montre tout à coup l'abîme pathologique qui le sépare de nous en ajoutant négligemment tout en tâtant sa poche : "C'est malheureux que je n'aie pas mon revolver, il n'en serait pas resté un seul" ». Cent fois, il a vécu semblable décalage, perdu au milieu de ses confrères, en pleine héroïnomanie. Perrin se sent l'élève du mangeur d'opium anglais quand il n'arrive pas à mettre fin à son fantasme de relation avec Jérémy. Ce serait trop triste d'y renoncer, de lui dire pour jamais adieu, que dans un mois, dans un an, sans que jamais Titus couche avec Bérénice, que ce bonheur clair, défini, accessible, se soit évaporé sans recours. Renoncer, c'est renoncer au bonheur et se libérer, c'est renoncer. Perrin quitte Jérémy à un détail près : si l'autre a un jour envie de faire l'amour avec lui, qu'il réapparaisse.

Il a fini par croire, pourquoi pas? à une sincérité du garçon qui ne change rien : Jérémy avait vraiment construit Perrin en père et Perrin, selon la formule deleuzienne, était perdu dans le rêve de l'autre, dans son délire, de sorte que la relation, à partir du moment où ils ne se sont plus vus, a continué à vivre chez chacun puisque lui manquait déjà la réalité. C'est comme si Perrin avait été amoureux d'un jeune homme qui aurait fini par lui révéler que, en fait, il n'était pas du tout un jeune homme mais un zèbre ou une tourterelle – ça n'est pas un argument vraisemblable, ça n'aide pas à en faire son deuil. Comment guérir d'une relation qui n'existe pas?

Perrin, parfois, juge s'être débarrassé de l'héroïne, pas nécessairement de ce qui la lui provoquait. Il redoute d'avoir juste changé d'adversaire ou de partenaire, d'être sans cesse infidèle à sa propre vie, détourné de son existence idéale. En reprendrait-il si, un jour, un ami généreux lui offrait de l'héroïne à l'improviste ? Si Jérémy, soudain, cédait à son chantage et acceptait de coucher avec lui, qu'adviendrait-il ? Mais c'est une folie d'imaginer ça, mélanger les faits et la psychologie. Un amoureux difficile se manifeste dans les faits puis se retire dans la psychologie – quelqu'un, quelque chose vous fait du mal, dont vous persistez à escompter du bien. Après toutes ces années, qu'est devenu le désir de Perrin ? Quel manque comblerait un coït avec Jérémy, quel assommoir serait-ce ? Il n'est plus amoureux, le jeune homme n'est plus si jeune, seule une rage tiendrait Perrin. Qu'est-ce qui le ferait bander, s'il bandait ? Quel rapport entre son aigreur étanchée et le bonheur régénérant que ce même acte lui aurait procuré des années auparavant ? Il n'a jamais couché avec Jérémy quand il l'aimait et ça lui manquera toujours, ce manque éternel étant l'humiliation qui les regroupe toutes comme si le garçon lui avait transmis son virus et que c'était désormais Perrin qui avait perdu le contact avec le réel. Un temps, il acceptait l'impuissance ; un autre temps, la baise est obligatoire. Cette idée folle de guérir du manque, ce serait guérir de la vie.

Ils se parlent encore une fois. L'autre lui a laissé un message, Perrin a rappelé et Jérémy a été désagréable. Perrin avait jugé auparavant que l'autre se remanifestait comme un dealer mais c'est plutôt comme une drogue. Si les actions et réactions de Jérémy lui sont si incompréhensibles, c'est qu'elles expriment le point de vue non du trafiquant mais de la drogue même. On dirait que l'héroïne, soudain pourvue de vie, se plaint d'être pourtant abandonnée sans vie dans une réserve secrète d'où, pour le malheur général, elle ne parvient pas à sortir, alors qu'elle ne demanderait qu'à s'écouler dans le sang des uns et des autres pour le bien de tous. À l'héroïne non plus, il ne faut pas demander plus qu'elle ne peut donner, mais comment faire autrement? On lui demande juste de redonner exactement ce qu'elle a donné et c'est juste ce qu'elle ne peut pas faire. On ne se noie jamais deux fois dans le même fleuve. On peut répéter les mêmes expériences, du moins à chaque fois le fleuve porte-t-il un nom différent. On est accroché, à quoi est secondaire pour soi même si primordial pour sa santé physique ou mentale. Soi se révèle irréductible, c'est ce qui ne se soucie de rien d'autre de soi.

Comme si Jérémy était une drogue inconnue dont Perrin a juste hérité de la dépendance, comme si le désir était une addiction dont rien, même éventuellement le plaisir, ne délivre durablement. Ils sont accrochés, tous ceux qu'on peut faire chanter : « Tu ne verras plus ton enfant (ou ton amour) », « Tu ne trouveras plus de boulot », « Tu ne toucheras plus à la dope », « Tu voulais la discrétion? Tout le monde saura que ». « Tout homme a vu le mur qui borne son esprit » : le vers de Vigny n'évoque plus pour Perrin une limite mais une protection, le mur qui sauve, qui préserve l'indépendance. L'inhumanité comme indépendance radicale.

Lusiau a détesté Jérémy du premier jour. À la longue, ne le connaissant que par les ravages infligés à son ami, plus que comme un imbécile ou un malade, il considère seulement le garçon comme un sale con. Quand, à tort ou à raison, Perrin lui dit enfin : « J'ai tourné la page », Lusiau répond aussi sec : « Tu as tiré la chasse. » Ce regret récurrent de Perrin : les chiottes ne sont plus ce qu'elles étaient.

– Non mais qu'est-ce qui te prend? Ça ne peut pas durer comme ça.

Perrin et Benassir dînent avec un couple d'amis et, le lendemain, Benassir est distant, ne se sent pas d'humeur à voir Perrin, ce qui laisse à penser à celui-ci que son amour ne va pas bien. Ça arrive au jeune Tunisien qui a cette habitude, quand il se juge peu agréable à fréquenter, de ne fréquenter personne le temps nécessaire. Parfois il part deux ou trois jours, solitaire dans une ville inconnue où son angoisse ne risque de peser sur personne. Ces épisodes mettent dans tous ses états Perrin, désemparé de ne pas pouvoir aider qui il aime et soulagé cependant que l'autre ne compte pas sur lui en ces instants – que Benassir se repose sur son amour plus que sur lui. L'amour de Perrin est un fait, pas susceptible de maladresse ou d'indiscrétion comme lui-même peut l'être.

Et le surlendemain, alors qu'ils ne se sont toujours pas revus depuis le dîner, sur un ton agressif, immaîtrisé, au téléphone :

– Non mais qu'est-ce qui te prend ? Ça ne peut pas durer comme ça.

Perrin ne comprend pas, lui qui a passé une bonne soirée l'avant-veille.

Et Benassir de lui déverser, exaspéré :

– Ça ne peut pas continuer comme ça. Tu n'as pas arrêté une seconde de te curer le nez. Où tu te crois ? Qu'est-ce qui te prend ? Tu ne vis pas tout seul. C'est incroyable, tu mangeais tes crottes.

– C'est vrai que je suis enrhumé, dit Perrin.

– Ça n'a aucun rapport. Personne ne triture son nez comme ça. Ça ne peut plus durer.

Benassir est hors de lui, Perrin décontenancé par une rage que son objet ne lui paraît pas justifier.

– Oui, il faut que je fasse attention. Excuse-moi.

L'urgence est de stopper ce flot aussi malveillant qu'inattendu. Pour Perrin, il n'y a pas sujet à dispute, d'autant qu'il ne comprend pas pourquoi le reproche ne lui a pas été fait durant le dîner, quand il aurait été si facile d'y remédier. Sont-ce les autres convives qui se sont plaints après qu'il est rentré se coucher ? Ses doigts dans le nez, est-ce le vice qui fait déborder le vase ou bien est-ce insupportable en soi, pratique répugnante qui ne peut que scandaliser tout être dignement constitué ?

Perrin estime avoir d'excellentes raisons de se fouiller le nez. Ça lui débouche les narines, il respire un tout petit peu mieux avec une toute petite crotte de moins. Et c'est vrai qu'il la malaxe, ainsi il sait que faire de deux de ses doigts. Mais comment se débarrasser d'elle si la crotte s'accroche au doigt, y colle ? La manger serait parfois la seule solution, ça lui a convenu un temps mais, depuis qu'il a vu un autre le faire, ça lui répugne, d'où l'injustice supplémentaire du reproche aujourd'hui. Sa morve sans intérêt qui coule, qui l'oblige à renifler sans fin, soit, il lui arrive de nettoyer son doigt dans sa bouche après usage, c'est commode. Son doigt va où les mouchoirs ne vont pas, a toujours quelque chose à attraper même si ce n'est jamais définitif, n'en finit jamais d'améliorer son inspiration.

Perrin croit qu'on ne le voit pas, qu'en tout cas il peut faire comme si – c'est tellement personnel, ça concerne tellement peu quelqu'un d'autre. Quelle importance que les autres voient tant que ça ne suscite pas une violence comme celle de Benassir maintenant. Pour arrêter, il faudrait qu'il puisse abrutir ses doigts comme des paupières. Parce que son nez est ainsi fait que le filon n'est jamais épuisé. Ce nez que lui ont fabriqué ses parents, il ne leur pardonne pas. On dirait que la vie est un nez, il faut en croquer tout son soûl. Se décrotter, ce n'est pas avec n'importe quoi qu'on peut le faire devant n'importe qui.

– Va aux toilettes si tu ne peux pas t'empêcher, dit aussi Benassir.

Pour les autres, la drogue est un fantasme et son nez une réalité. La drogue est un monde parallèle alors que le nez de Perrin, visible comme le milieu de son visage, est ancré dans le réel, est au premier degré. Au temps de l'héroïne, prendre le plus grand soin de son nez, le nettoyer, ne pas en laisser perdre la moindre morve était une nécessité élémentaire : ses narines étaient susceptibles de contenir des traces de produit précieux. Ç'aurait été un comble, quand il se bourrait d'héroïne, que ce soit les liens de son doigt avec son nez qu'on lui reproche, sa frénésie à ne jamais cesser la fouille de cette mine plus ou moins d'or. Aujourd'hui que l'héroïne n'a plus envahi depuis des siècles ses veines ou ses narines, c'est encore plus fou de s'en prendre à son nez comme s'il était un trafiquant du décrottage, un obsédé compulsivement attaché à la propreté de son organe. Ce n'est plus le moment d'être traité comme un camé.

Or c'est bien à quoi lui fait penser la rage irraisonnée de Benassir, un comportement que finit par susciter la vie auprès d'un accroché dont la façon d'être, reposant sur une logique et des intérêts aussi différents que secrets, complique toute issue rationnelle. La colère pour desserrer l'étau. Mille fois, il a craint qu'un amoureux ne lui reproche l'héroïne, à si excellent droit, vu ce que subit le compagnon de l'héroïnomane, qu'une telle dispute le désemparait d'avance, assuré de devoir défendre une mauvaise cause. Et c'est comme si c'était maintenant qu'il l'a fait depuis belle lurette qu'il devait décrocher, de son doigt et de son nez. Pourquoi ne pas essayer ? Ça ne pose à Perrin aucun problème psychologique : c'est de la compulsion à l'état pur, sans nécessité vitale. Pour lui, ça ne répond consciemment à rien, à part se faciliter la respiration qui n'est pas rien mais il n'a jamais risqué l'asphyxie même les mains dans les poches. Il devrait y arriver les doigts dans le nez.

Cette drogue-là, elle ne suscite aucune mythologie. Perrin voit mal une situation où son geste paraîtrait une transgression magnifique dont le souvenir traverserait les années. Dans le Bureau ovale : « Non, Mister President, ce que vous me révélez ne me retire pas un instant le doigt du nez » ? C'est une intoxication dont tout héroïsme est absent. Comme lorsqu'il lui arrive d'être malade, encore, non pas du manque mais du trop-plein, trop bu, trop fumé, trop mangé. Il est à deux doigts de l'évanouissement, trop faible pour aller jusqu'aux chiottes ou trop perdu pour tenir dessus. Malaise vagal, il finit allongé sur le carrelage, incapable de se soulever d'un centimètre, alors c'est comme ça qu'il est le mieux, immobile, glacé puis suant d'un instant à l'autre. C'est là que tout s'échappe de lui, par-devant, par-derrière, par sa bouche et par son cul, se répand partout, spectacle immonde. Quand Benassir le secourt dans ces circonstances, Perrin n'a pas le sentiment de montrer le meilleur visage de lui-même ni de la drogue – question image, c'est un fiasco. Cette merde qu'il a répandue partout, sur lui, le sol, ses vêtements, il n'a pas l'imagination de défendre son apparition comme si ça valait tellement le coup de boire, de fumer, de manger, que tant pis si ça en passe par des épisodes moins glorieux. Ça n'est pas très culte, la merde, le dégueulis. Et encore, au moins c'est être malade, un état involontaire. Mais les doigts dans le nez, les merdes de nez et les dégueulis de nez, ça rendrait la drogue indéfendable de faire passer ça pour de la drogue.

Cette rage de l'autre qu'il a si souvent évitée au pire de son addiction, Perrin n'est pas mécontent de la rencontrer. Surtout quand il ne la redoute qu'en tant que rage, pas comme une atteinte à son être, quand elle ne concerne que ses doigts et son nez et qu'il peut jouer l'incompréhension avec plus de véracité. Pourtant, elle est signe que l'intoxication est là, qu'il perd la maîtrise. Parce qu'il sait faire, avec sa honte à lui, il lui suffit de supporter ses humiliations et il a une longue expérience ; être en revanche confronté à la honte de l'autre, cette honte que les humiliations qu'il supporte suscitent chez ceux qui l'aiment, ça lui fait vraiment honte. Comme une objectivité des sensations à laquelle il ne peut rien opposer. Comme avec l'impuissance, rien n'est seulement son problème à lui (Dieu que la vie est difficile, l'égoïsme commande aussi de se soucier des autres). La honte comme un mistigri qu'il ne cesserait de refiler à ceux qui l'aiment. C'est à la honte aussi qu'il est accroché, à coups de seringue dans les veines ou de bons sniffs, de doigts dans le nez ou de sphincter trop indépendant, à force de trouver les toilettes le meilleur refuge. Il n'y a pas de bon drogué qui rechigne à l'humiliation, qui n'en connaisse les charmes et les contraintes.

Le conseil de Benassir n'était pas mauvais. Parfois, quand Perrin est dans les toilettes, il frise exprès l'overdose, n'en finissant plus de se triturer le nez, frénésie inattaquable quand elle se déroule en solitaire. Même si tout le monde devinait ce qu'il est en train de faire, personne ne serait en droit de le lui reprocher. Ça ne fait de mal à personne de juste savoir qu'il se cure le nez si c'est par ouï-dire qu'on l'a appris. On ne va pas lui dire : « Tu sais, on commence comme ça et on devient sourd, ou on finit par le faire aussi devant les autres », puisque c'est justement pour ne plus le faire devant les autres qu'il le fait en solitaire, puisque c'est un progrès, comme le shit, comme l'alcool pour Lusiau déshéroïnisé. Comme si Perrin était exhibitionniste de son nez et de son doigt, lui qui ne l'a jamais été de l'héroïne. La discrétion est la vertu cardinale pourvu qu'on ne donne même pas à voir non par l'acte mais par sa conduite, non par les yeux mais par la psychologie ou l'intelligence. Cette impudeur qu'est l'odeur de sa propre merde, fût-ce au fond des chiottes. On finit soi-même par s'en accommoder, mais l'occupant suivant ?

Charme de la vie aux W.-C. : c'est faire une pause que s'y installer, respirer tranquillement, apaisé, serein, libéré du monde social. C'est une solitude choisie qu'on y trouve quand, encore mieux, ce n'est pas en compagnie qu'on s'y rend pour quelques jouissives minutes. Toutes les drogues ramènent aux chiottes, les chiottes suscitent n'importe quelle drogue. Ne serait-ce que les constipés, qui y vont pour rien, pour essayer en vain et répéter perpétuellement leur échec, comme tout le monde dans cette vie, jusqu'à ce qu'une fois ça vienne et ça y est, le pli est pris, elle est belle, cette vie. Les matins d'un héroïnomane.

Quand Perrin y va la nuit parce que sa vessie l'exige, il s'assied pour ne pas avoir à faire attention et se réveiller encore plus. Il compte les secondes en pissant pour être sûr que rien d'autre ne lui occupe l'esprit. S'il n'y avait pas que l'héroïne dont on pouvait se débarrasser physiquement en une petite semaine, rien qu'en pissant et en souffrant, si on pouvait tout éliminer aux W.-C., Jérémy et les doigts dans le nez et le malheur. Les toilettes, lieu idéal de la purification, coffre-fort du stade anal.

Mais il y a aussi le risque de se retrouver dans les chiottes de l'histoire – par exemple, lorsque Perrin regarde un match à la télé, d'être contraint de s'éloigner de l'écran pour aller pisser et c'est quand il est en pleine miction que le but est marqué. Alors il est passé à côté, il n'y a plus rien à faire, sinon espérer qu'au moins le ralenti n'arrive pas trop rapidement.

Pour parler de sa mère, Lusiau dit un jour à Perrin : « La femme d'où je viens, qui m'a intoxiqué de ses tissus, de son éducation. » Sa reconnaissance d'artiste n'apaise pas le fils. C'est une catastrophe d'être né dans ce couple, dans ce milieu. Irrémédiable ? Perrin a la vision de l'injustice sociale comme d'un racisme, une pornographie, et Lusiau la lui conforte. L'homosexualité et l'héroïne ont sorti Perrin de son milieu, lui ont fait rencontrer des êtres qu'il n'aurait jamais dû rencontrer, des amoureux et des dealers, des coups d'un soir et d'autres usagers. Au pire temps de l'héroïne, il était rassuré que le dealer voie en lui un accroché un peu inhabituel, plus intégré, quand bien même il ne faisait rien pour ça.

Lusiau n'a jamais joué ce jeu-là. Pour lui, au commencement, prendre de l'héroïne a été un moteur d'intégration, ça sanctionnait pour le mieux son accoutumance au milieu artistique dans lequel il commençait à trouver sa place ; il se droguait comme Untel et Untel, les gens les plus en vue. L'héroïne était un ascenseur social, porteur de mille complicités. Lui qui venait de si loin, il était soudain l'un des leurs. Comme si son talent artistique à lui seul n'aurait pas suffi, qu'il fallait aussi un talent opiacé que les autres avaient autant que lui – pas de jaloux. Jaloux, c'est pourtant Lusiau qui aurait pu l'être, lui à qui chaque gramme coûtait tellement plus cher, dépourvu qu'il était de revenus autant que de patrimoine. Mais ce n'était pas sa nature ni sa stratégie : assuré de ses capacités, il espérait juste que ça ne prendrait pas trop de temps avant d'en recueillir les fruits, et l'héroïne est un doux moyen de patienter.

Perrin n'a jamais vu le père ni la mère de Lusiau. Le père est mort quand Lusiau avait neuf ans, en entrant dans un mur après avoir fauché sur le trottoir un couple d'adolescents qui n'y survécut pas, un jour où il conduisait sans permis. La mère, Lusiau n'en parle qu'avec exaspération, ne supportant pas qu'elle réclame de le rencontrer quand elle vient à Paris ni qu'elle se plaigne de ne pas le voir quand elle reste chez elle, dans le village glacial de Lorraine où elle a cru bon de s'installer. Lusiau est fils unique. Sa mère a dû renoncer à de nouveaux enfants, aggravant le désarroi du père qui souhaitait une famille nombreuse, après une fausse couche. Lusiau prétend que, lorsqu'elle le lui a raconté, elle a commenté : « Au fond, c'est ce qui m'est arrivé de mieux. » Pas d'argent du côté du père ni de la mère mais pas la misère non plus. À quatorze ans, Lusiau fumait du shit, plutôt plus que ses copains et avec meilleure conscience, sans perdre son temps à s'imaginer que cet âge d'or de merde aurait une fin tellement aucun job ne se profilait. Pas de raison de se priver, c'était fait pour les êtres comme lui.

Lusiau non plus n'a jamais vu le père ni la mère de Perrin. Les deux sont à la retraite, maintenant. Le père a fini sa carrière directeur de recherche au CNRS et la mère proviseur de lycée après avoir été professeur d'histoire et géographie. Selon l'estimation de Perrin, la drogue n'était pas de son monde. Il a toujours eu des rapports corrects avec ses parents. Jamais il ne leur présenterait un ami héroïnomane, de crainte qu'ils ne l'identifient comme tel et ne s'inquiètent pour lui. Jamais il ne leur a parlé de l'héroïne, pas pour les épargner eux mais pour s'épargner lui, toutes leurs angoisses qu'il aurait à porter. Il lui vient à l'idée que s'ils étaient capables de renifler l'héroïnomanie d'un ami, la sienne propre leur serait encore plus accessible. Mais l'argument ne porte pas car l'héroïne n'est qu'un prétexte : il préfère ne pas leur présenter ses amis parce qu'ils n'ont pas à les connaître, tout simplement, comme ils n'ont pas à connaître son addiction. Ce sont ses parents, il serait obscène que la drogue, n'importe laquelle, soit une complicité entre eux.

Pour Perrin et Lusiau, la famille est une addiction obligée dont se débarrasser est une autre addiction. Ils sont en permanence dans la seringue du cyclone. La brutalité des méthodes habituelles de sevrage n'est pas de mise ici. Ce sont des miraculés, ceux qui parviennent à se défaire de leur famille par la seule force de l'indifférence, juste, pour reprendre les critères parentaux à l'encontre de toute drogue, parce qu'ils peuvent très bien s'en passer, qu'ils n'ont pas besoin d'elle pour être heureux, que ça ne leur plaît pas de se détruire. Comment devenir clean avec sa famille ? Quelle est la proportion de lien raisonnable au-delà de laquelle c'est la catastrophe ?

Perrin se souvient encore du jour où, rendant visite à sa mère durant un des sempiternels voyages de son père, quand il est allé pisser, il a trouvé la lunette relevée. Sa mère vivant alors seule dans l'appartement, il n'y avait aucune raison à cette position si ce n'est de lui faire remarquer que lui-même n'avait pas toujours cette attention et que le siège avait déjà porté la trace de sa désinvolture urinaire. Or les circonstances exactes sont présentes à son esprit comme preuve de ce mensonge, excessivement présentes : bien sûr, d'une part, qu'il lève la lunette pour pisser (il n'a pas été élevé chez les sauvages) et, surtout, la dernière fois qu'il est venu chez sa mère, il ne s'est enfermé dans les toilettes que pour se repaître d'héroïne, il n'en a pas profité pour uriner une seule goutte, craignant d'avoir déjà été trop long et de s'exposer à des questions si son absence durait encore. La drogue, donc, l'innocente entièrement. Que la lunette était baissée quand il a quitté la pièce, c'est vrai, puisqu'il avait eu besoin de s'asseoir dessus pour sa manipulation. Debout, en partant, il a tiré la chasse, par vraisemblance, et, comme il n'y a pas de couvercle, il arrive que le tourbillon éclabousse la lunette si personne n'a ses fesses dessus. Pourquoi n'y a-t-il pas de couvercle ? Parce qu'il s'est cassé dix ans plus tôt, que personne dans la famille n'est fichu de le réparer, qu'il est délicat de faire venir un artisan juste pour ça et que, au fil du temps, on ne s'en est plus soucié. Se serait-il jamais drogué s'il avait grandi dans une famille plus bricoleuse ?

Lusiau, en réponse, raconte ça à Perrin. Quand il était gamin, sa mère ne manquait jamais de lui faire remarquer les taches dans ses slips et cette humiliation l'exaspérait, qui s'est perpétuée jusqu'à ce qu'il quitte le domicile familial. C'était comme si rien d'autre ne comptait pour sa mère, qu'il ne pourrait jamais faire son chemin dans la vie à traiter ainsi ses sous-vêtements. Adolescent, Lusiau avait eu l'idée que s'il attaquait quelqu'un dans la rue et rentrait couvert de sang à la maison, sa mère ne pourrait rien lui reprocher puisque, pourvu qu'il ait perpétré son agression d'assez bonne heure, avant de s'être lancé habillé dans la moindre fonction excrétoire, il serait assuré de la propreté de son slip, protégé de toute projection de sang par son pantalon et son t-shirt. « On aurait dû me donner de l'héro à six ans, je n'aurais pas risqué de mal me torcher si je m'étais constipé à ravir. Seulement ma mère, ce n'est pas pour la poudre qu'elle est la meilleure dealeuse », dit Lusiau pour tâcher de conclure ce trafic de récits intimes. Si reprocher quoi que ce soit à ses parents est régressif, autant y aller pour de bon.

Comment s'en dépêtrer ? Ils n'osent pas élever leurs reproches uro-scatologiques au rang d'explications aussi parce qu'aucune explication ne fait l'affaire – aucune n'est à la hauteur de l'héroïne.

Quelle violence la douceur de l'héroïne est-elle censée contrecarrer ? Et quelle douceur disqualifie sa violence ?

– Qu'est-ce que tu penses de ça ? lui dit un jour Lusiau en accueillant Perrin dans son atelier et lui dévoilant une nouvelle œuvre.

Ce sont quatre statuettes prises dans un socle unique et évoquant celles qu'on associe au culte vaudou. Chacune a une taille différente et Perrin y détecte le père et la mère, le fils et la fille. Les épingles qui, dans la sorcellerie, se retrouvent en divers endroits du corps sont ici travaillées pour ressembler aux aiguilles d'une seringue et n'apparaissent que dans les veines protubérantes d'un bras de chacune des quatre statuettes.

– Ça parle, non ? dit Lusiau face au silence de Perrin.

Celui-ci est désarçonné : sa vie, magie blanche ou magie noire ? Comme si tout se passait bien avant et qu'il n'y avait rien à faire après, que sa naissance avait été un ensorcellement. L'héroïne, il est tombé dedans quand il était petit, mais il ne le savait pas encore – l'héroïne ou n'importe quelle affection de substitution. Et, à la différence d'Obélix, sa familiarité avec la potion magique l'oblige à en reprendre. Il croit avoir du mal à exprimer l'intensité de ses sentiments à Lusiau, les mots se bousculent en faisant peut-être sens mais pas grammaire, aucun sujet ne trouve son verbe ni aucun verbe son complément.

– Heureusement qu'il y a un instinct pour être accroché à la vie, parce que peut-être qu'on n'y arriverait pas toujours par la seule force du raisonnement, dit Lusiau.

*

Perrin a stoppé l'héroïne depuis des années quand, au milieu de la nuit, il se réveille fou d'angoisse. Il a déjà oublié la majeure partie de son cauchemar, la plupart des enchaînements de causes à effets. Lui restent quelques images mentales fortes. Il est au cinéma en pleine séance, il y a longtemps que le film est commencé mais lui arrive juste, debout dans le passage qui doit l'amener à un siège, en nage, essoufflé. Il a couru pour arriver là, dans ce refuge. Il fuit parce qu'il vient de commettre un double meurtre ; s'il examine la situation de plus près, il se pourrait bien que ce soit son père et sa mère les assassinés. Aucun mobile ne vient polluer son cauchemar. Il les a tués et, maintenant, il faut qu'il se cache. Dans mille films, mille polars, c'est au cinéma que l'assassin vient d'abord se mettre à l'abri, il suit la routine. Perrin n'a aucun regret, aucun remords, mais il a peur. Il comprend qu'il ne faut pas se faire remarquer dans cette salle et donc, pour commencer, n'y assassiner personne. Mais plus que ça : il faut qu'il n'y viole personne et ça lui apparaît comme une contrainte exorbitante. C'est seulement parce qu'il a du sang partout qu'il ne discute pas cet impératif, qu'il n'ergote pas, parce qu'il ne doit pas se faire arrêter maintenant. Il faut ne violer personne ? Il ne violera personne. Il est prêt à cette concession alors qu'il se sent les capacités de faire passer tous les spectateurs à la casserole, les uns après les autres. Il est debout dans la salle où est projeté un drame psychologique sans éclat, un couteau dégoulinant dans la poche de sa veste, tout désemparé : s'il ne peut plus tuer ni violer qui que ce soit, quel sens a sa vie ?

TABLE

Achevé d'imprimer en septembre 2013
dans les ateliers de Normandie Roto Impression s.a.s.
à Lonrai (Orne)
N° d'éditeur : 255549
N° d'édition : 174013
N° d'imprimeur : 133454
Dépôt légal : octobre 2013

Imprimé en France